D1282356

Je vous aime bien, monsieur Guitry !

Du même auteur

Les Plumes des paons, Plon, 1980.
Le Parcours du combattant, Flammarion, 1989.
La Vieille Dame dans la librairie, Flammarion, 1991.
Veille de fête, Flammarion, 1992.
Le Dîner de Londres, Flammarion, 1994.
La Jeune Fille à l'avant-scène, Flammarion, 1995.
Les Silences et les Mots, Flammarion, 1998.

Jean Piat

Je vous aime bien, monsieur Guitry !

PLON

© Plon, 2002.
ISBN : 2-259-19565-2.

A Alain Decaux.

EN GUISE DE PRÉFACE

Se prétendre objectif, c'est avouer que l'on est sans passion. A l'homme qui me dirait : « J'ai fait un livre objectif » je répondrais : « Eh bien, maintenant, il ne vous reste plus qu'à ne pas le signer. »

C'est un peu insolent, ce que vous venez de dire là, cher Sacha. Mais insolent, vous l'avez été toute votre vie. Insolent de chance, insolent de réussite. Insolent de talent, insolent de facilité aussi.

Face à vos erreurs, ou vos errements, en amour, insolent même de bonheur.

Symbole utile de ce temps « où les Français ne s'aimaient pas », offert à une insolente injustice, insolent dans la disgrâce, vous vous défendez avec une insolente liberté.

Peut-être vous demandez-vous dans ce vert paradis des auteurs dramatiques où vous siégez sereine-

9

ment désormais, puisque leur purgatoire vous a été épargné · « Pourquoi ce livre sur moi ? Il y en a tant déjà... »

Je suis tenté de vous répondre comme Ruy Blas à la reine de Hugo :

— Parce que je vous aime... monsieur Guitry.

Mais aussi parce que en vous donnant souvent la parole c'est ensemble que nous pourrons rappeler et plaider — délivrés des pesanteurs du Temps — certains mauvais procès qu'on vous a intentés.

Aux yeux des gens, vos deux plus grands défauts sont l'égoïsme et la vanité. « Suis-je égoïste ? » vous interrogez-vous. Et vous vous répondez aussitôt...

— Oui. Comme tout le monde. Mais pas plus. Peut-être moins que beaucoup d'autres. Mais cela doit se voir davantage chez un homme de mon espèce : *un homme heureux !*

Vous abordez alors la vanité. « Suis-je vaniteux ? »

— Moi je prétends que non car je me connais bien. *Aucune de mes pièces ne me satisfait complètement.* Et quant à la situation que j'occupe, n'ayant rien fait — jamais — pour y parvenir, *elle me surprend* bien plus qu'elle ne comble mes vœux.

Combien voudraient avoir écrit cette dernière phrase ? Combien surtout pourraient avoir mérité de l'écrire ? Mais n'est pas Guitry qui veut.

Ce portrait par vous-même que vous esquissez en quelques traits dans *Toutes Réflexions faites,* vous le poursuivez avec la même lucidité.

10

— Quand je me suis vu à l'écran, j'ai tout de suite compris pourquoi j'étais antipathique à tant de gens. J'ai je ne sais quoi de péremptoire, je dirais même d'infaillible, *propre à me rendre assez odieux !* Car je suis détesté par beaucoup de personnes, et je m'en rends bien compte. Je n'en souffre plus mais que j'en ai souffert ! Je suis l'esclave d'un physique prépondérant. Je serais différent si j'avais pu me faire comme moralement je me suis fait.

Sont-ce là des marques de vanité ?

Là encore vous vous répondez :

— Or donc vaniteux, non, mais épateur, ça, je l'avoue ! Épateur car, au fond, *très épaté d'en être arrivé là...*

Quand vous écrivez un livre de Mémoires, vous parlez bien plus volontiers des autres ou de « ceux de votre siècle » que de vous-même. Vous vous contentez d'évoquer une scolarité déficiente et les raisons qui vous ont amené à devenir auteur dramatique.

Alors ?

Restent deux autres inculpations : la misogynie, la collaboration.

Là encore on verra par la suite à quel point vous avez été « de ces hommes à qui l'on ne pardonne rien » au nom d'une réussite que peu peuvent vous disputer. Mais que beaucoup vous ont enviée.

Pourtant vous n'aviez qu'une seule passion : le travail.

JE VOUS AIME BIEN, MONSIEUR GUITRY !

Vous n'aviez qu'un seul bonheur : l'amour.

Vous n'aviez qu'un amour — je vous en laisse la responsabilité — la FRANCE.

« Quand un homme a l'honneur d'être un délassement pour ses contemporains, il doit y consacrer le plus clair de sa vie. »

Vous étiez né pour le bonheur.

Vous en aviez reçu le don. A l'exemple de Madame de Maintenon enseignant aux demoiselles de Saint-Cyr « souriez, mesdemoiselles, si vous voulez avoir plus tard les rides bien placées ! », vous avez favorisé le sourire de vos contemporains.

« Il faut être heureux, proclamez-vous sans cesse. Parce que, quand on se met à être heureux l'existence devient une chose tout à fait inouïe. » Attention ! Pour vous, heureux ne veut pas dire à qui tout réussit. Heureux veut dire *favorable*. « Et d'un événement on dit qu'il est heureux quand il fait le bonheur précisément de tous. » Il faut être heureux dans ce sens : être un événement. Et le bonheur

13

viendra. Pour cela, il faut être exemplaire et aimer la vie. *Même telle qu'elle est !* Il faut faire la sourde oreille à tous ceux qui tentent de nous en dégoûter. Ou bien leur clouer le bec en leur proposant de la quitter six mois plus tôt, cette existence abominable. Afin de voir la tête qu'ils feront ! Ne reconnaître à personne le droit de nous empêcher de dormir ! Voilà votre petite philosophie. Quand Paris s'est chargé de vous contester ces présents des dieux : l'amour de la vie et le don du bonheur, Sacha est mort. Seul Guitry s'est efforcé de continuer le chemin dans un monde devenu pour vous un monde renversé. A partir de 1945, une année de cauchemar, vous avez vu s'évanouir, selon vous, quarante années de rêve. « C'est ça la liberté ? La justice, la République, c'est cela ? C'est ça l'intelligence ? » questionnez-vous alors...

Et votre vie peut se résumer ainsi. Première partie, avant la guerre (celle de 1939-1945 bien entendu). Sacha : ses gamineries, sa légèreté, son insolence et sa désinvolture. « C'est vrai... je suis léger, je suis excessivement léger. Mais si je le suis à l'excès, c'est que je suis excessif. Et si je cessais d'être léger, étant excessif, je tomberais dans l'excès contraire. Et je deviendrais excessivement lourd. Or, ne vaut-il pas mieux être excessivement léger ? » N'est-ce pas, mesdames ?

Seconde partie, après la guerre. Guitry et l'humiliation. « J'ai déchiré le testament que je venais d'écrire. Il faisait tant d'heureux que j'en serais arrivé à me tuer pour ne pas les faire trop attendre. »

Le talent est intact. L'esprit est toujours là. Mais derrière le sourire on décèle votre stupeur, votre amertume, votre tristesse et — disons-le — votre misanthropie. « Avez-vous observé tous vos amis de dos ? Ne le faites jamais ! Rarissimes sont ceux que vous rappelleriez. »

Tout cela offrant à cet enfant du XIXᵉ siècle, que vous êtes — Guitry ou Sacha —, un destin d'exception. Celui d'avoir été, par votre souci de plaire, le caractère de vos personnages, le sens de votre théâtre et la qualité de votre écriture, le « Molière de M. Albert Lebrun », président de la IIIᵉ République, ainsi que le définit avec malice Alain Decaux. A cette différence près, que vous observez vous-même : « Si je veux voir le président de la République, je dois lui faire une demande d'audience. Le jour et l'heure en sont fixés par lui. Molière se présentait à Versailles à *son* heure et directement il entrait chez le roi. Et rien n'est plus normal que cette différence. Mais si Molière revenait aujourd'hui... entrerait-il directement chez le président de la République ? » Et pour répondre à la question vous ajoutez : « Louis XIV disait : l'État c'est moi. On aimerait savoir aujourd'hui *qui* est l'État ! » Moderne, non ?

Mais avant de parler aux lecteurs et aux lectrices de Sacha ou de Guitry, de votre naissance, de vos parents, de vos femmes, de vos films ou de votre

15

théâtre, de vos amis, de vos ennemis, avant d'évoquer vos soixante jours de prison, « vos occupations » pendant l'Occupation et cette collaboration dont on vous a accablé, puis votre réhabilitation à l'Opéra avec le président Coty (de la IVᵉ République, celle-là). Avant d'énumérer vos décorations, vos collections, avant de citer vos mots sans cesse répétés, y compris même ceux qui n'étaient pas de vous, mais que vous considériez comme un « bréviaire personnel » estimant que « citer les pensées des autres c'est souvent regretter de ne pas les avoir eues soi-même et c'est un peu en prendre la responsabilité », ce qu'en toute modestie je pense aussi. Avant donc de pérorer sur l'auteur et l'acteur, sa mission, ses défis et sa gloire, accordez-moi la liberté, cher Sacha, de parler aux lecteurs et aux lectrices... des matelots !

Non, ce n'est pas une hérésie puisque vous-même vous nous le confiez : « *Acteur et matelot, ça se ressemble un peu.* » Entre ces deux professions vous voyez plus d'une analogie. Pas physique, bien sûr. Mais comme les matelots, les acteurs n'ont-ils pas sans cesse la nostalgie d'un flot ? Et ce flot, que vous avez aimé avec passion, presque imprudemment, ce flot humain, nourriture essentielle de notre vie, c'est « le public ». Et cette nostalgie c'est celle de ses réactions, celle de sa présence dans une salle de théâtre. Pour vous comme pour nous, « les acteurs », le public, c'est...

... cette vague que l'on aime
Qui revient chaque soir, énorme
Qui n'est jamais la même
Et qui garde pourtant toujours la même forme
Et votre rire qui s'élève (celui du public)
Et qui grandit et qui s'éteint tout doucement
Rappelle un peu le bruit magnifique et charmant
Que font les vagues sur la grève.

Interrompons un instant cette comparaison et ce clin d'œil en vers... vers les marins et vers la mer. Écoutez, lecteurs, lectrices, la musique des quelques mots précédents. Entendez-vous la vague, le flot, et votre rire ? Voyez-vous la grève ?

La grève c'est la plage. La plage c'est la scène. Et la scène c'est sa vie. Sacha va la passer tout entière — et dès l'âge de cinq ans — dans cet espace de rêve que nous, acteurs, nous vénérons dès l'instant où nous y pénétrons, en respirant l'odeur particulière des décors sous la chaleur des projecteurs. Pour Sacha comme pour Guitry et pour nous, « un théâtre c'est un bateau » sur lequel va voguer plus ou moins bien la pièce.

C'est l'intérieur de quelque vieille caravelle.
Avec ses mâts plus ou moins hauts. Avec ses passerelles
Avec ses longs cordages
Et c'est le même va-et-vient,
Le même remue-ménage

17

Et quant à ses immenses toiles
Que l'on replie ou qu'on déplie
Eh bien... ce sont un peu comme des voiles...
Toiles de fond
Que nous trouvons
Nous, si jolies
Où l'on voit passer des nuages...
Et qui sont perforées d'étoiles.

Poète, Sacha ? Eh oui, mesdames et messieurs, poète ! Ni Racine ni Baudelaire. Mais poète tout de même, en vers de bohème, tels qu'il les a définis lui-même, directs, populaires et aristocratiques. Comme Rostand. Des vers « au hasard ébauchés qui vaudraient encore moins s'ils étaient plus cherchés », aurait écrit Musset. Cette petite musique c'est celle de la langue française qui, pour lui, reste universelle, et qu'on retrouve aussi bien dans sa prose que dans son théâtre.

Elle justifie peut-être à elle seule qu'on joue toujours sur toutes les scènes de France à l'aube d'un troisième millénaire, et sans qu'on en distingue immédiatement les raisons, cet auteur qui appartient encore au XIXe siècle et qui meurt au milieu du XXe alors que tout le monde avait prédit — et lui-même le pensait — que, *sans* ses interprétations si personnelles, le théâtre de Sacha Guitry reposerait dans les oubliettes ou serait pieusement relégué au purgatoire. « Pourquoi dire que le théâtre est un

18

mystère, alors que c'est tout simplement un miracle », écrivez-vous. Pour vous, le miracle a eu lieu. Une dizaine de vos pièces n'ont pratiquement jamais quitté la scène depuis bientôt cinquante années.

Est-ce parce que vous avez eu l'audace d'écrire à la fin d'un livre sur l'esprit « j'ai rendez-vous avec l'avenir » ? Non. Ce jour-là — et plus simplement — vous aviez rendez-vous avec un jeune acteur pour lui parler du sien et lui offrir un rôle. Et pour mieux l'accueillir dans cet hôtel particulier du Champ-de-Mars que votre père, Lucien Guitry, a fait construire autour d'un escalier, vous aviez organisé la mise en scène. Même chez vous, la vie est un théâtre. Vous avez réuni quelques-uns de vos livres les plus précieux et de vos autographes les plus rares pour les lui montrer. Vous avez modifié la place de certains tableaux et vous vous êtes habillé ! Oui, Sacha Guitry — la courtoisie faite homme — s'habille d'un veston d'intérieur tout neuf pour accueillir un jeune acteur qu'il ne connaît pas, qu'il n'a jamais vu et qu'il attend à midi, soigneusement rasé et coiffé — on pourrait presque dire poudré — en s'en faisant une fête. « Costumes, têtes faites », indique-t-on au théâtre pour les ultimes répétitions.

J'ai eu droit plus tard à ce même accueil. J'en garde moi aussi un souvenir ébloui. Tout comme celui de l'audition que m'accorda Louis Jouvet — que vous n'aimiez pas (et vous aviez tort !) —

pendant plus d'une heure avant d'entrer en scène pour jouer *Knock.*

J'avais vingt ans, et l'un et l'autre m'écoutaient...

Merci, Monsieur Jouvet, merci, Monsieur Guitry.

*

« Saluons ce qu'on ne verra plus, s'écrie Louis Pauwels en 1961 : un homme sans relâche soucieux de se distinguer, de faire fastueuse figure, ivre de ses dons et de son bonheur, fuyant le sérieux, moins infatué de lui-même que sacrifié à sa légende... »

Eh bien, on vous voit toujours, Monsieur Guitry ! Sans doute — sans aucun doute — parce que, la nature ayant horreur du vide, vous offrez à tous ceux qui le souhaitent ce que d'autres après vous s'efforcent et s'efforceront d'apporter, parfois hélas dans un autre langage et avec une moindre exigence . *le bonheur de rire !* Ce bonheur qui se confond, pendant de merveilleux instants pour nombre de nos contemporains, avec la joie de respirer et l'honneur d'être vivant.

« Il n'y a pas en France de chefs-d'œuvre ennuyeux, écrivez-vous. Il y a parfois des pièces ennuyeuses qui passent — un instant — pour être des chefs-d'œuvre. Mais il faut convenir que c'est ordinairement pour des raisons qui restent étrangères à l'Art dramatique. »

Ah ! comme vous avez raison !

JE VOUS AIME BIEN, MONSIEUR GUITRY !

Pour cette lutte contre l'ennui qui parfois nous étouffe et nous fait douter d'être français, merci aussi, Monsieur Guitry.

« Il ne devrait pas y avoir de chefs-d'œuvre plus beaux que les livres scolaires. »

On peut lire dans un manuel de littérature scolaire (1965) où le théâtre occupe une place — hélas — extrêmement réduite : « Au lendemain de la guerre (celle de 1939), le genre " léger " connaît une grande vogue auprès des habitués du Boulevard, peu cultivés [*sic*], amateurs de rire et d'évasion [*re-sic*] plutôt que d'idées ou d'observations concernant l'homme et la société [*re-re-sic*]. »

Ainsi donc, *dès l'école*, amateurs d'évasion du beau pays de France, et « habitués du Boulevard » qui vous rendez dans ses théâtres, vous êtes dénoncés comme peu cultivés et indifférents aux idées concernant l'homme et la société !

Il pourrait pourtant paraître légitime et humain qu'après une guerre qui vient de les détruire, les

Sociétés aient acquis le droit de rigoler un peu après avoir enterré leurs morts, tout en réparant les dégâts causés par un excès de réflexion sur leur avenir... Eh bien, non ! C'est une condamnable légèreté d'être. Au théâtre, seul le genre sérieux est source d'observation sur l'homme et d'idée sur la société. On n'est pas sur terre pour s'amuser. On comprend dès lors (refrain connu) que « les enfants s'ennuient le dimanche »...

On raconte pourtant qu'avant de se faire la guerre en 1870, Napoléon III et Bismarck éclataient de rire chacun de son côté, en écoutant Offenbach. Que n'ont-ils continué par la suite à s'intéresser à *La Vie parisienne* ou à *La Belle Hélène*, plutôt qu'aux idées sur le mieux-être de la société prussienne ou sur l'avenir du second Empire. L'Alsace, pas plus que la Lorraine, n'aurait eu à s'en plaindre.

Pauvre théâtre, « né de l'Église », qui a commencé sur les parvis des cathédrales... on ne te pardonnera jamais tes bateleurs et tes farceurs du Pont-Neuf ! Et pour mieux ajuster le tir, ce même manuel scolaire, qui n'accorde pas plus de place au théâtre que la télévision ne lui en cède de nos jours, vous prend pour cible, Monsieur Guitry ! Il vous exécute en huit mots : « *Cette œuvre, inégale, a mal résisté au temps.* » Tu parles ! Depuis votre mort — 1957 —, pièces et films n'ont jamais cessé de prouver le contraire à la télévision et dans tous les théâtres de France — à l'exception des Maisons de la culture, mais il ne faut jamais désespérer ! D'autre part, reprocher à votre œuvre d'être inégale relève de l'enfoncement de portes ouvertes car il est bien certain que cent trente pièces et trente films ne peuvent pas être d'égale valeur. A ce compte-là on peut aussi faire le procès de Shakespeare ou de Molière en déclarant que leurs pièces — un peu plus d'une trentaine — ne sont pas de valeur égale. Passons ! Depuis Boileau qui déjà « dans le sac ridicule où Scapin s'enveloppait » ne reconnaissait plus l'auteur du *Misanthrope,* ceux qui font avec grâce et légèreté le bonheur du peuple n'ont droit qu'à un mépris de plus en plus institutionnalisé. Ce même peuple, souverain en démocratie, dans les sondages et dans les urnes, se retrouve inculte et fermé aux idées ou aux observations sur l'homme et la société quand, devenu « le public », il s'installe dans une salle de théâtre ! Où es-tu, Beaumarchais, toi qui te pressais de rire de tout de peur d'être obligé d'en pleurer ? Il y a quelque chose de vicié dans le royaume ! Pourquoi, nous gens de théâtre, acteurs et actrices, mes sœurs et mes frères, nous laissons-nous parfois enfermer dans les cerveaux sans joie des universitaires ? Ne sommes-nous pas au service du bonheur des populations laborieuses ? Nous faut-il à ce point prendre toutes choses au sérieux ? Le goût du théâtre ne se réduit pas aux sentences et aux choix d'une confession ou d'une classe unique. Que peut répondre à cela un auteur narquois qui a l'audace de ne pas vouloir refaire le monde et dont l'amour de la vie a fouaillé la sottise ? Ceci, qui peut passer pour une observation ou une idée sur l'homme et la société, écrit par un auteur à « l'œuvre inégale » : « *Jeunes gens, méfiez-vous des hommes de quarante ans qui sont insatisfaits. Mettez en doute leurs paroles et leur parole. Car de même qu'un livre n'est pas fatalement bon parce qu'il ne se vend pas... de même qu'une comédie n'est pas nécessairement mauvaise parce qu'elle a du succès... n'avoir pas réussi n'est pas une preuve évidente de génie. Ce sont là raisonnements de ratés et vous devriez savoir que les ratés ratent même leurs raisonnements...* »

Tout votre théâtre le prouve, vous avez toujours eu quelque méfiance à l'égard de la gravité. Car « il est très aisé d'en faire le simulacre » dites-vous, « tandis qu'on ne peut pas faire semblant d'être léger et d'avoir de l'esprit ».

On ne peut pas toujours s'indigner en une phrase ni aimer modérément Guitry. Alors laissons-lui quelques instants encore la parole et la responsabilité de cette autre observation, adressée aux jeunes gens des lycées et collèges (les jeunes filles peuvent lire aussi !). « *Défiez-vous des révolutionnaires appointés. Fuyez les petites chapelles où l'on se congratule à longueur de journée... au détriment de ceux qui n'en font point partie. Fuyez les clans, fuyez les cliques. Ne soyez pas de ceux qui haïssent, JAMAIS. Tâchez d'être plutôt parmi ceux que l'on hait : on y est en meilleure compagnie. Pour cela, TRAVAILLEZ ! Travaillez pour votre plaisir. Travaillez... comme si c'était défendu.* »

Pas mal, pour un auteur léger, non ?

Ah, bien sûr, c'est une notion individualiste. Telle cette réflexion de Bossuet extraite du bréviaire personnel de Sacha : « Les peuples ne durent qu'autant qu'il y a des élus à tirer de leur multitude. » Parole hélas bien négligée, comme le « aimez-vous les uns les autres » lancé il y a plus de 2 000 ans. Cela tendrait à prouver que, malgré leur intérêt pour l'homme et les sociétés, tous ceux qui ont travaillé — avec sérieux — à rendre l'un meilleur et l'autre plus habitable n'ont pas réussi leur coup et que l'espérance porte souvent le nom d'utopie. Peu importe, d'ailleurs ! Elle reste l'éternelle espérance de demain. Elle n'empêche nullement de croire, d'aimer et... de rire. Rendons grâce à ceux qui comme Sacha nous le permettent au risque d'être accusés de légèreté et de ne pas être pris au sérieux dans les livres d'école.

*

Émeutes, révoltes, révolutions et guerres marquent l'Europe des cinquante premières années du XXe siècle. Des millions de morts, la transformation d'une Russie tsariste, où vous êtes né, en Union des Républiques Socialistes Soviétiques dont les idées vont compter pour le monde... La montée des fascismes, de l'antisémitisme, entraînant des bouleversements où l'homme se croit investi de tous les pouvoirs pour se retrouver devant des murs, des grilles ou des chambres à gaz... L'espérance d'un bonheur pour demain faisant place à des réalités atroces qui rendent le monde hagard en 1918 comme en 1945.

Aucune trace de tout cela dans votre théâtre, Sacha, pas plus que dans vos films, Monsieur Guitry. Êtes-vous donc passé à côté de votre temps ?

1905 : première révolte à Saint-Pétersbourg qui annonce la révolution de 1917. Vous écrivez *Nono*, c'est votre premier triomphe.

1915 : la guerre s'enlise dans les tranchées. Vous écrivez *La Jalousie* qui sera reprise quelques décennies plus tard à la Comédie-Française.

1916-1917 : c'est Verdun et les premières mutineries des combattants. Pour vous, c'est *Faisons un rêve* — coïncidence fâcheuse — et *Jean de La Fontaine*.

1919 : la paix est signée à Versailles. Vous écrivez *Mon père avait raison*.

Quelques années plus tard pour évoquer ce même Versailles, loin de vous soucier du traité de paix, vous écrivez ce ravissant quatrain :

Les rois faisaient des folies sans pareilles
Ils dépensaient notre argent sans compter
Mais quand ils construisaient de semblables merveilles
Ne nous mettaient-ils pas notre argent de côté...

Alors, indifférent, Guitry ? Sûrement pas : il aime trop la France pour cela. Quand il voudra le lui prouver en publiant *De Jeanne d'Arc à Philippe Pétain*, ce titre mal venu en 1942 — que même le vieux maréchal lui déconseillera — lui coûtera la liberté pendant soixante jours de prison. Embusqué alors en 1914-1918 ? Pas davantage : réformé pour cause de rhumatismes inflammatoires, dont il souffrira toute sa vie et qui finiront par emporter un homme qui, certes, n'avait pas l'âme d'un guerrier, mais dont la mort sur un champ de bataille n'aurait pas raccourci la guerre, hélas, d'un seul jour. Le créateur Sacha Guitry, « ostentatoire jusqu'à la disgrâce », n'a qu'un souci : divertir. Toute votre œuvre en porte la trace. Vous ne vous occupez que de l'amour, des femmes et du couple. Cette observation souvent souriante n'est-elle pas utile à la société ? Même si, de temps en temps, vous vous laissez aller à quelques gamineries, où l'esprit d'Alphonse Allais, comme celui d'Alfred Jarry, marque leur territoire. Tel le début de ce *K.W.T.Z*, au titre imprononçable, comédie écrite à vingt ans, et que vous présentez comme un « drame passionnel en un acte ».

... Au lever du rideau un homme assis derrière un grand bureau tient une plume à la main. Il réfléchit longuement, regarde le public, trempe sa plume dans l'encrier et écrit en disant : « Je lègue à la

Sainte Église catholique, apostolique et romaine...
100 000 francs. »

Il pose sa plume, réfléchit, regarde le public,
reprend sa plume et écrit : « Je lègue au Consistoire
de l'Église réformée de France 100 000 francs. »

Il pose sa plume, réfléchit, regarde le public,
reprend sa plume et écrit en disant : « Je lègue à la
Synagogue de la rue de Provence 100 000 francs. »

Il pose sa plume, réfléchit, regarde le public,
reprend sa plume et écrit : « Je lègue au gouvernement de la République française — il en a besoin
aussi — 100 000 francs ! »

Il pose sa plume, regarde le public et dit : « Où
vais-je trouver tout cet argent-là ? »

Voilà. C'est le début de ce prétendu drame
passionnel. Évidemment, cela ne relève pas des
idées ou des observations concernant l'homme et la
société. Mais peu vous importe ! Vous tentez sans
cesse, avec les coups du sort de la vie, de construire
un théâtre personnel. Et pour cela vous utilisez avec
délices tous les malheurs qui vous sont arrivés, vos
fours, vos infortunes conjugales, les calomnies dont
vous êtes abreuvé : « Songez, écrivez-vous, qu'on est
allé jusqu'à m'accuser d'être pédéraste. Ce qui, j'ose
le dire, est une accusation sans fondement. » Oui,
vous tenterez tout simplement de suivre votre pente
naturelle : celle du bonheur. Obéissant ainsi à un
précepte d'André Gide : « Il faut toujours suivre sa
pente pourvu que ce soit en montant. » Quand le

vieux Paul Léautaud constate en novembre 1917 « La vie n'est pas drôle. La bêtise règne. Les commerçants volent, les patrons gémissent, les actionnaires s'emplissent les poches, les ouvriers plastronnent, les faiseurs d'affaires collectionnent les millions. La grossièreté, la stupidité, la cupidité s'y épanouissent. La suspicion, la dénonciation sont partout. C'est la guerre avec tous ses " bienfaits " », il signale au milieu de toutes ces horreurs une pièce de Sacha Guitry, *L'Illusionniste*, comme une douceur, un enchantement, une consolation. « Tout n'est pas perdu : il y a encore en France un homme d'esprit. »

Ce que ne sait pas encore Paul Léautaud, Sacha, c'est que bien des années plus tard vous écrirez : « Illusionniste-né, vite il m'est apparu qu'au mépris des coutumes et des conventions j'avais pour seule mission de plaire à mes contemporains, *afin d'aider ceux qui m'écoutent à être le moins malheureux possible*. A NE SE RÉSIGNER EN QUELQUE SORTE QU'AU BONHEUR. C'est là tout mon message. Comblé par le destin, je n'ai pas eu d'autre souci. »

Alors, égoïste, Sacha ? Cependant qu'en des temps difficiles il s'efforcera toujours d'enchanter et de consoler ses contemporains, suivant ainsi sa pente naturelle et l'enseignement de son père :

— Qu'est-ce qu'un égoïste, Sacha ?

— Je ne sais pas, papa.

— Un égoïste, c'est celui qui n'emploie pas

toutes les minutes de sa vie à assurer le bonheur de tous les autres égoïstes.

Voilà. C'est papa — Lucien Guitry — qui disait cela.

En bon fils Sacha va retenir la leçon. Il a reçu. Il donne.

Sacha, je n'ai nullement l'intention ni l'outrecuidance de comparer mon destin au vôtre, rassurez-vous. Mais ce que je peux vous dire, c'est que depuis cinquante-huit années je vis sur ce nuage, avec le même souci dans ce ciel parsemé d'étoiles qu'est une scène de théâtre, m'efforçant à travers tous les rôles de satisfaire à cette exigence : le plaisir de ceux qui veulent bien s'intéresser à « mes petits travaux ».

Pendant plus d'un demi-siècle vos contemporains vous remercieront de votre profession de foi. Jusqu'au 23 août 1944...

Ce jour-là tout bascule. Depuis toujours Sacha portait le masque du bonheur. Ce jour-là, le masque tombe. Sacha Guitry est arrêté par un groupe de FFI, emmené à la mairie du 7e arrondissement, en pyjama et robe de chambre, mules de crocodile vert aux pieds. On le pousse dans la salle des mariages. Et arrivé là il trouve encore le moyen de plaisanter : « *Je la connaissais bien, et pour cause : j'y étais déjà entré quatre fois. Si bien qu'un instant j'ai cru qu'on allait me marier de force, ce jour-là. Hélas... cette impression était fausse. C'était la Libéra-*

tion. Et je peux dire que j'en ai été le premier pré-
venu... »

Oui, vous riez encore. Mais bientôt vous ne rirez
plus du tout : le soir même on vous emmène au
Dépôt.

Il n'y a pas de grand destin sans un peu de
tragédie.

C'est peut-être ce qui vaut au « Molière d'Albert
Lebrun » cette aura particulière, dont vous vous
seriez à l'évidence bien passé, mais qui explique
qu'on vous aime ou qu'on vous déteste sans mesure.
Créateur unique, homme de caractère, au sang-
froid imperturbable, vous résistez au ressentiment des
uns par l'admiration que vous suscitez chez les autres.
Et cependant vous êtes d'une naïveté incroyable au
point de ne pas avoir pensé que votre éclatante
réussite et une « insolence poudrée » pouvaient laisser sans haine, ou bien inactifs, ceux qui n'en
avaient pas connu les charmes et les dangers.

Consolons-nous en constatant qu'une fois de
plus Sacha va permettre à Guitry, bouleversé par
cette disgrâce, de se souvenir en quelques vers du
drame que vous avez alors vécu.

J'ai vu la mort, et de bien près
Je m'en suis rendu compte après...
J'ai vu la mort et j'ai pensé que c'était laid
De la cacher dans le canon d'un pistolet
Un homme était entré soudain dans mon cachot

L'arme à la main, le bras tendu
Je l'avais à peine entendu
Et il m'a dit : « Tu vas mourir ! »
Et je l'ai cru
Car on le croit.

Vous aviez été le point de mire de votre temps. Vous en étiez devenu tout à coup... la cible. Le pacte était rompu.

Si vous saviez ce qu'on peut
Faire de chemin
Dans un cachot de quatre mètres
Et d'autant plus d'ailleurs
Qu'on revient sur ses pas...

Mais là encore, n'anticipons pas.

Pour qu'une plaisanterie humoris-
tique ait — si j'ose dire — son plein
rendement, il convient que trois per-
sonnes soient en présence :
— celle qui la profère,
— celle qui la comprend,
— et celle à qui elle échappe !
Le plaisir de celle qui la comprend
étant décuplé par l'incompréhension de
la tierce personne.

« N'ayant pas eu d'enfant, je suis toujours un fils », avez-vous dit un jour.

Alors sacrifions au rituel. Restez, heureux, dans votre Olympe, Sacha. Permettez-moi de continuer à parler, seul, de ce fils que vous avez été, comme de l'homme que vous êtes devenu.

21 février 1885 !

Pour vous, lecteur, cette date est sans importance. Pour Sacha elle l'est davantage : c'est celle de sa naissance. « Quand je suis né j'étais extrêmement rouge », raconte-t-il. Mes parents m'ont regardé avec effroi. Puis ils se sont regardés avec tristesse. Et mon père a dit à ma mère : « C'est un monstre ! Mais cela ne fait rien, nous l'aimerons bien quand même. »

Ni Sacha ni son père ne pouvaient alors prévoir à quel point ces mots « nous l'aimerons bien » les uniraient, son père et lui.

L'exceptionnel d'ailleurs n'est pas là. Le lieu de cette naissance l'est un peu plus. Sacha vient au monde en effet à Saint-Pétersbourg. Pourquoi Saint-Pétersbourg ? Parce que son père y joue ! Sacha est, en effet, le fils de Lucien Guitry, acteur célèbre, et de Marie-Louise-Renée... née de Pont-Jest, ravissante fille de René-Léon de Pont-Jest, ancien officier de marine, bretteur et coureur sans vergogne qui écrit au passé simple mais avec succès des feuilletons populaires du style « Nous arrivâmes à Pékin de nuit et par un grand froid qui nous mordit les oreilles. Nous courûmes vers la première auberge venue où nous reçûmes le meilleur accueil, moyennant un prix modeste. » C'est la mode des feuilletons aux personnages récurrents comme le sont de nos jours ceux de la télévision. René-Léon de Pont-Jest n'est d'ailleurs pas sans talent. Son petit-fils, qui se moquait étant enfant de ses imparfaits du subjonctif, de ses « parcourusse » et de ses « fussiez » ou de ses « aimassiez », le reconnaîtra plus

35

tard quand, devenu Sacha, il saura alors ce qu'il lui doit : son amour de l'écriture. Et aussi, il l'avoue : son goût pour le jeu...

Esprit fin et distingué, René de Pont-Jest gagne confortablement sa vie avec ses romans d'aventure. Il a donc ouvert, chez lui, rue Condorcet, un salon littéraire où il reçoit les « gens en vue ». Un soir, Mounet-Sully, l'illustre tragédien de la Comédie-Française, lui présente un jeune confrère : Lucien Guitry, en passe de service militaire. Le jeune pioupiou permissionnaire enchante l'assistance en récitant *La Mort du loup*, d'Alfred de Vigny. Il enchante bien plus encore la jeune fille de la maison, Renée, qui ne reste pas longtemps insensible au prestige de l'acteur et à la prestance du séduisant jeune homme. Elle le lui prouverait volontiers, et très vite, mais papa veille ! « Ma fille à un histrion... jamais ! » Lucien va devoir s'y reprendre à trois fois pour convaincre papa de Pont-Jest de lui accorder la main de sa fille. On ne résiste pas à Lucien Guitry. En juin 1882, il propose à Marie-Louise-Renée de Pont-Jest de le rejoindre à Londres, profitant d'une tournée « Sarah Bernhardt » qui va y présenter *Hernani* en ayant eu l'excellente idée d'engager Lucien pour jouer Don Carlos. Lucien a vingt-deux ans, Renée en a vingt-trois, ils se marient à Londres le 10 juin 1882. Papa de Pont-Jest a été contraint de céder : le fait est accompli.

Quand on est marié, il faut gagner sa vie pour

deux. Lucien accepte donc, un peu plus tard, un engagement au Théâtre Michel. Pas celui de la rue des Mathurins à Paris qui n'existe pas encore, mais bien celui de Saint-Pétersbourg ! Depuis longtemps et jusqu'après la guerre de 1914-1918, le théâtre impérial de Saint-Pétersbourg, le Théâtre Michel, organise des saisons françaises. Heureux temps où l'on pouvait jouer *en français* dans toute l'Europe ! C'est ainsi que Lucien Guitry signe un contrat pour neuf saisons à quarante mille francs (or !) chacune. Et c'est ainsi que va naître, après deux autres garçons (dont l'un ne vivra pas), le petit Alexandre Georges Pierre, au 12 de la Perspective Nevski, à Saint-Pétersbourg. Et comme papa est un acteur illustre que le tsar « adorrre », ce petit Alexandre aura pour parrain, sous le regard des popes, le tsar lui-même, Alexandre III ! Merveilleuse Russie, merveilleux spectateurs russes, à quoi Renée de Pont-Jest ne résistera pas longtemps. Lucien Guitry grand acteur, coureur et buveur, s'en accommode, lui, d'autant mieux que le jeu des acteurs russes, beaucoup plus intérieur que celui des acteurs français où « Sire le mot » a tant d'importance, le retient, le passionne et le marquera même définitivement.

En 1889, les parents de Sacha divorcent. Lucien retournera seul en Russie pour assurer les saisons d'hiver, ne revenant en France que l'été. Marie-Louise-Renée obtient la garde de ses enfants. Jusqu'au jour où...

37

*

Il arrive, dans chaque famille, à chaque enfant d'être le (ou la) préféré(e) de papa ou de maman. Ce n'est pas une loi, c'est une éventualité. Elle se rapporte à un sentiment des parents, indicible et instinctif, les « affinités électives ». Lucien Guitry a donc une préférence marquée pour Sacha plus que pour son frère aîné (d'un an) Jean. Il souffre d'être trop souvent et trop longtemps séparé de Sacha. Alors, un certain dimanche dont Sacha se souvient parfaitement, du moins l'affirme-t-il, il se passe un événement tout à fait singulier. Conduit comme chaque dimanche, avec son frère Jean, chez sa grand-mère paternelle par la soubrette de leur maman de Pont-Jest, il voit surgir inopinément papa Lucien Guitry, superbe pardessus macfarlane à carreaux sur le dos. « Lion superbe et généreux », il embrasse du regard et très longuement ses deux enfants, et puis soudain il murmure : « Il paraît que Jean n'a pas été sage cette semaine. » Jean n'a pas le temps de se récrier que déjà papa a pris la main de son fils Sacha. C'est avec lui qu'il ira chercher des gâteaux pour le dessert du déjeuner dominical. Un fiacre attend devant la porte de l'appartement du Palais-Royal où habite grand-mère Guitry. Lucien et Sacha s'y engouffrent après que Lucien ait adressé un au revoir bizarre à tout le

38

monde. Pourquoi semble-t-il si ému ? Dès la première pâtisserie indiquée par Sacha, Lucien
répond : « Non, pas celle-là ! » Et de pâtisserie en
pâtisserie, déclarée chaque fois de qualité insuffi-
sante, le père et le fils arrivent tous les deux à la
gare de l'Est, immense bâtiment où le petit Sacha
prend peur et s'étonne : « Où sont les gâteaux ? »
Il n'y a pas de gâteaux mais il y a un train ! Et c'est
ainsi que de gares en gares, franchissant les fron-
tières, dissimulé sous le manteau à carreaux de
papa ou sous une couverture, Sacha va se retrouver... à Saint-Pétersbourg ! Enlevé par son père dès
l'âge de cinq ans ! Ce n'est pas courant, courant.
Et c'est déjà merveilleusement théâtral. On peut
comprendre que ces images resteront à jamais gra-
vées dans sa mémoire. D'autant que cette journée
particulière sera suivie de nombreuses autres où le
théâtre aura toujours sa part. C'est la raison pour
laquelle Sacha se souvient parfaitement qu'à
chaque passage de frontière, enroulé dans cette
couverture que son père glissait sous la banquette
du compartiment, il passait des quarts d'heure
qu'il avoue lui-même « étouffants » !

Bien plus tard il reconnaîtra néanmoins : « C'était
affreusement cruel ce qu'il faisait, bien sûr, puisque
ma mère allait rester huit mois sans me revoir. Mais
qu'on ne me demande pas de regretter d'avoir été
pendant ce temps plus aimé, choyé, chéri qu'aucun
autre enfant peut-être ne le fut. » Et il est bien vrai

que si l'on demandait à Sacha l'origine de sa vocation, il répondrait qu'à cinq ans il était déjà convaincu qu'un jour il ferait « la même chose que papa ». Même s'il ne savait pas ce que faisait son père à Saint-Pétersbourg ! Il lui arrivait parfois à table, au cours de rares repas pris en commun, d'être effrayé par le regard courroucé de Lucien qui l'apostrophait d'un : « Tout homme qui insulte une femme est un lâche ! » Ou bien le regard de papa se faisait plus doux : « Clémentine, pour un baiser de vous, je donnerais ma vie... » Le petit Sacha en restait bouche bée. Il ignorait encore qu'un acteur a parfois besoin, pour se concentrer ou retrouver une réplique, de lancer quelques mots au hasard, n'importe où, à n'importe qui et n'importe quand. S'il nous arrive de pratiquer ce genre de sport, seul, dans la rue, sans téléphone mobile, on est immédiatement suspecté de gâtisme ou d'aliénation mentale. Aussi le petit Sacha ne comprenait-il pas pourquoi son père l'appelait alors Clémentine. A la « mamka », sa gouvernante, qui le couchait il a demandé un soir :

— Où va papa ?

— Il va jouer pour te gagner des sous.

— ... ?

— Il va au théâtre, insista la « mamka », travailler !

C'est ainsi qu'à cinq ans le petit Sacha est déjà persuadé qu'on peut gagner sa vie en jouant. C'est bien là la preuve qu'il était né pour le bonheur ! Pour lui le mot *travail* s'écrit en sept lettres : non pas T.R.A.V.A.I.L. mais T.H.É.Â.T.R.E !

Moi, c'est à quatre ans que j'ai ressenti le bonheur de jouer la comédie. Non pas à Saint-Pétersbourg mais plus humblement à l'école Saint-Charles de Hem (Nord), proche de Lille et de Lannoy, petit village où je suis né, au cours de la distribution des prix suivie d'une « matinée récréative »... Je me rappelle parfaitement le texte que mon personnage avait à lancer sur la scène : « Comme les rats. » C'était, en trois mots, ma seule réplique. Mais le spectacle et son déroulement m'ont tellement fasciné que j'ai totalement oublié de la dire, cette réplique ! Ce fut mon premier trou de mémoire. Si l'incident s'est inscrit à ce point dans ma cervelle, c'est peut-être qu'à l'exemple du petit Sacha de cinq ans j'avais entendu l'appel des dieux dans mon école de Hem ! Et tout naturellement, dix-neuf ans plus tard, je jetais encore une réplique en trois mots, mais cette fois c'était dans le deuxième alguazil du IVe acte de *Ruy Blas* à la Comédie-Française ! « Pris, quel bonheur. » Je ne savais pas, alors, que j'en prenais pour vingt-cinq ans... dans cette admirable institution. Mais pour le bonheur, je jure que j'ai été servi !

Sacha passait à Saint-Pétersbourg des moments d'émerveillement. A l'occasion de chacun de ses rôles, son père faisait exécuter pour lui un costume à sa taille, identique à tous ceux qu'il portait, lui, en scène ! En se déguisant ainsi en Hamlet, en Ruy Blas, en Louis XI ou en cosaque du Don, comment le petit Sacha aurait-il pu échapper à la magie du théâtre ?

Il aime les clowns, comme bien des enfants de son âge. L'un de ceux que son père fréquente le fascine particulièrement. Il s'appelle Douroff. Le visage tout blanc, les yeux pétillants de malice, dans son costume pailleté il enchante Sacha assis au premier rang du cirque presque tous les dimanches. Devenu grand, jamais il n'oubliera ce visage et cette voix criarde, non plus que ses sourcils « en désaccord » et surtout le « Ah ! » qui accueillait le clown comme une promesse de joie, l'espérance d'un bonheur à vivre pour le public qui assistait à ses exploits. D'autant plus que Douroff lui adressait souvent la parole devant ce public que Sacha ne cessera jamais de respecter, « ce qui me remplissait à la fois d'orgueil et de confusion », avouera-t-il bien des années plus tard.

Glissant avec passion sur cette pente de rêve, il débute avec son père en 1890 au Palais impérial, dans une pantomime que Lucien a écrite avec un grand acteur russe, Dawidoff ! Il figure devant son parrain le tsar, Pierrot fils, tandis que son père joue Pierrot. Et il soupe le soir à la droite de ce parrain, ayant en face de lui un jeune homme en uniforme blanc, le futur Nicolas II. Cette enfance d'exception

42

pouvait-elle ne pas laisser des marques profondes et définitives chez un être qui ne demandait sans doute qu'à les accueillir ? Elles s'y retrouveront vingt-huit ans plus tard dans une pièce — hommage au théâtre —, *Deburau.*

*

Sacha avait joué à Saint-Pétersbourg en 1890. Nous jouions, nous, Comédie-Française, en 1954 à Moscou. Sacha se produisait en Pierrot devant son parrain le tsar. La troupe, elle, venait de représenter devant le gouvernement soviétique au grand complet *Le Bourgeois gentilhomme.* Arrière-garde de Staline qui venait de mourir : Malenkov, Molotov, Mikoïan, Boulganine, Khrouchtchev (au troisième rang avant d'accéder au premier), et bien d'autres encore, avaient été nos spectateurs d'un soir.

Invité à la table impériale, le petit Sacha avait connu en 1890 une grande humiliation... avec un morceau de gruyère ! Son couteau ayant malencontreusement glissé sur le fromage, il s'était servi une part beaucoup trop grande. Devant l'œil réprobateur et impitoyable de son père (« en Russie on ne laisse rien dans son assiette »), il s'était mis en devoir d'engloutir son gruyère sous les regards des invités devenus soudain silencieux. Un énorme rire du tsar avait heureusement mis fin au supplice, après ces quelques minutes d'angoisse.

Nous avons eu droit, nous aussi, à un autre genre de divertissement dans un salon attenant à la scène du théâtre. Autour d'une table où vodka, caviar et champagne (soviétique, hélas !) avaient remplacé le gruyère du tsar, l'atmosphère était détendue, presque bon enfant. Chacun semblait flatté du regard de l'autre. Les acteurs en costume de scène, mamamouchi y compris — cérémonie turque oblige —, faisaient face à ces messieurs en veston noir, chemise blanche, cravate grise, certains portant une petite batterie de décorations au revers des vestons, tous exaltant grâce aux interprètes l'amitié franco-soviétique. Le rideau de fer inventé un jour d'après-guerre, en mars 1946, par Churchill, et présent dans toutes les mémoires n'était pas pour l'heure le souci de la descendance Staline non plus que de la famille Molière. Le camarade était mort depuis un an et demi. Son tombeau était l'objet de toutes les curiosités. La foule poireautait des heures pour l'admirer dans son cercueil de verre, et la guerre froide n'avait pas encore éclaté. Le mur de Berlin n'était pas construit. Khrouchtchev avait ses deux chaussures aux pieds : il n'était donc pas tenté de prendre celle de droite pour cogner son pupitre à l'assemblée de l'ONU. Trois semaines auparavant, il y avait bien eu le rappel d'un certain PONT AÉRIEN qui, pour ravitailler Berlin, isolé au cœur de la zone russe, avait été établi en 1948, mais ce rappel n'était dû qu'à une gaffe monumentale de notre administrateur d'alors (pour cause de vodka), illustrant par cette image (mal venue) un petit discours sur la présence de la Comédie-Française à Moscou, « véritable pont aérien d'amitié » entre nos deux nations ! Cela avait figé quelques sourires soviétiques, mais par bonheur nous étions en 1954, leurs dents ne grinçaient plus.

C'est alors que pour répondre à un toast de M. Boulganine, Maurice Escande, le doyen de la troupe, fit une démonstration de ses aptitudes à la diplomatie. Il révéla — ce que tous ces messieurs d'en face, sourcils en bataille, firent semblant d'ignorer — qu'il était entré en URSS *sans passeport !* C'était rigoureusement exact. En arrivant à Orly devant la police de l'air du petit aéroport de 1954, il n'avait pu présenter « à leurs yeux étonnés » que l'étui de cuir luxueux, Vuitton mais vide, dudit passeport... resté, lui, au fond d'un tiroir ! Repartir le chercher à Paris était impossible pour cause d'encombrement. Nous étions en tournée officielle pour un événement d'exception : première troupe théâtrale française à venir jouer en Russie soviétique depuis la révolution de 1917 ! « Premier échange culturel entre nos deux nations », ainsi que le titraient tous les journaux du temps. Il fallait vite trouver une solution. Il fut donc convenu que, de sauf-conduit en sauf-conduit, et de Paris à Francfort, puis de Francfort à Berlin-Ouest (où nous passions une nuit d'escale), et de Berlin-Est à

Minsk, et enfin de Minsk à Moscou, consulats et ambassades se relaieraient pour assurer le transfert particulier de M. Maurice Escande. Ce qui lui permit d'affirmer à l'assistance soviétique enchantée que pour lui « le rideau de fer s'était transformé en rideau de tulle » ! Un rire homérique secoua l'assistance. Tous les grands patrons de l'URSS s'étaient laissés aller à la même allégresse devant cette réplique que le tsar Alexandre III devant le morceau de gruyère du petit Sacha, soixante-quatre ans auparavant ! Louis Joxe, ambassadeur de France en URSS à cette époque, était arrivé à temps — après s'être dégagé d'autres obligations — pour assister à cet impromptu, lui qui en un an et demi de poste à Moscou n'avait jamais pu rencontrer ces « messieurs » au grand complet.

De l'intérêt qu'il y a parfois à faire place au théâtre dans les relations diplomatiques.

*

Sacha remerciait-il son enfance en écrivant son merveilleux *Deburau* ? Cette pièce, en effet, a pour cadre le théâtre des Funambules, et les scènes entre Deburau et son fils sont celles-là même qu'ont jouées dans la vie Sacha et son père, tant à Saint-Pétersbourg que plus tard à Paris ! Elle contient entre autres merveilles cette réplique que tous les acteurs gardent sans cesse à l'esprit, en dépit de tous

46

les tourments, les difficultés, les déceptions parfois rencontrés : « Adore ton métier, c'est le plus beau du monde... »

Tout aussi proches de Sacha et de son père que de Deburau, nous nous sentons, nous acteurs, en accord intime avec ce qu'y déclare sur scène le plus grand mime de tous les temps.

Sois un Paillasse, un pitre, un pantin que t'importe.
Fais rire le public, dissipe son ennui
Et s'il te méprise et t'oublie
Sitôt qu'il a passé la porte...
Va, laisse-le, ça ne fait rien
On oublie toujours ceux qui vous ont fait du bien.

Deburau a été créé le 9 février 1918 au Vaudeville. Trente ans plus tard, Sacha n'avait pas eu à y changer une ligne pour répondre au déshonneur, à la disgrâce qu'il subissait alors. C'est dans ce rôle de Deburau qu'il devait — sans le vouloir — faire ses adieux à la scène en 1953 à Bruxelles, le 13 février.

Le travail était alors son unique refuge, le seul bonheur de cet homme atteint par la maladie, les humiliations et... les soucis d'argent. Il y consacrait ses dernières forces, presque avec fureur. Sa vie, en apparence encore brillante, n'avait plus pour lui le même sens. Le corps et l'esprit soumis aux piqûres de morphine nécessaires pour le soulager de douleurs atroces, isolé chez lui plus ou moins volontairement par ceux qui lui étaient proches, il se sentait face à la mort. C'est un combat déjà commencé qu'un roi de théâtre n'acceptait pas de perdre.

Avant le commencement du spectacle, il avait été pris d'un malaise cardiaque. Mais il avait exigé qu'on lève le rideau contre l'avis du médecin appelé d'urgence. On avait dû couper ses chaussures de scène afin qu'il puisse y introduire ses pieds, gonflés par un œdème. Voulait-il, à l'image de Molière, mourir ce soir-là, Pierrot lunaire, debout sur le pont du bateau ? Ce n'est pas impossible. Trois ans plus tard, en 1956, lassé de tout, il absorbera un tube de barbituriques, peut-être parce qu'il n'avait pas réussi, en ce 13 février 1953, à partir en beauté pour mieux illustrer sa légende. En dépit d'un nouveau malaise au cours de la pièce, il parvint à terminer sur un triomphe la représentation de ce *Deburau* qui le reliait à son enfance, à ses souvenirs de Saint-Pétersbourg et plus encore à son père.

On ne devait plus jamais vous revoir sur une scène de théâtre, Sacha. Mais il semble que vous ayez prévu dans un dernier recueil de pensées, *Toutes Réflexions faites*, le regret immense que vous alliez en éprouver.

« Que mes amis que j'ai perdus soient indulgents, qu'ils me pardonnent. J'ai compris. Notre amitié s'était fondée sur mon bonheur, sur cette chance inouïe qui me favorisait depuis quarante années... Quand ils ont eu le sentiment que mon bonheur pliait bagage et que ma chance était au diable, il est juste après tout qu'ils m'aient tourné le dos.

« Pour eux, la comédie était jouée.

« Rideau. »

Ce n'est pas une raison parce que vous ne comprenez pas... pour que cela ne signifie rien. Mais ce n'est pas une raison non plus... pour que cela signifie quelque chose.

Toute votre vie, Sacha, vous avez été un travailleur acharné. On vous trouvait dans votre bureau tous volets fermés — s'il faisait beau temps au-dehors —, lampes allumées, incapable que vous étiez de travailler sous une lumière qui n'était pas celle du théâtre. « Je fais tout le temps quelque chose, écrivez-vous, car j'ai remarqué que lorsque l'on faisait quelque chose on ne faisait *qu'une* chose, ce qui n'est pas fatigant. Tandis que quand on ne fait rien pendant une minute ou deux, on pense alors à tout ce qu'on a à faire — et qu'on ne fait pas —, et ça... c'est éreintant. » Vous écriviez partout. A Paris, en voyage, en tournée, dans les trains — un acte en

50

une nuit par exemple —, sur les bateaux, dans votre bain ou sur un coin de meuble, mais encore au théâtre, dans votre loge, ou en voiture, priant chaque fois Mme Choisel, votre secrétaire, si elle était proche de vous, de noter un mot, une phrase, une réplique. « On voyait, au cours d'une conversation, à la façon qu'il avait de vous écouter avec une soudaine attention, qu'il ne vous écoutait plus du tout ! Il ne songeait qu'à noter une pensée qui lui était venue », dit de vous votre dernière épouse, Lana Marconi.

Sacha écrivait avec une telle ferveur, une telle passion que même les repas ne comptaient plus. Seul le tic-tac d'une pendule sur son bureau semblait lui rappeler cette exigence première : « Dîne donc ! Dîne donc ! Dîne donc ! » Lui, il écrit, il écrit, il écrit. Même s'il sait d'*évidence* qu'aucune pièce de théâtre ne transforme les sociétés ou les êtres : un avare ne donnera pas davantage au vestiaire du restaurant où il est allé souper (s'il y va !) après avoir assisté à une représentation de ce chef-d'œuvre moliéresque, pas plus qu'un jaloux ne se corrigera après avoir vu *Othello*. Sacha écrit le théâtre pour lequel il est né, pour lequel il est fait. Il cite ce mot de Vuillard à qui une ravissante jeune femme, vêtue de son seul peignoir de bain, serviette nouée en turban sur la tête, était apparue : « Quel charmant tableau ! Mais celui-là je ne peux pas le faire... c'est un Bonnard ! » Le théâtre de Sacha n'appartient qu'à lui seul. Ces cent quinze ou cent vingt-cinq pièces — lui en compte cent trente, car il y a des esquisses et des ébauches — ne sont à l'imitation de personne. Sacha est un dessinateur — il le dit lui-même — qui, en quelques traits magistraux, croque tous ceux que la vie lui a permis d'approcher : Alphonse Allais, Mirbeau, Jules Renard, Feydeau, son père... et jusqu'à Léon Blum et Debussy ! De même pour ses pièces. « *Mes pièces sont des croquis, des esquisses que la crainte de mentir m'empêche souvent de fignoler, de terminer. J'ai le goût des choses inachevées, parce que rien ne finit jamais.* » Il s'attendrit d'ailleurs sur les ébauches — celles des autres, pas les siennes — d'une manière exquise :

« *C'est adorable, une ébauche. C'est une chose qui vient de naître et qui viendra toujours de naître. C'est la genèse, la jeunesse d'une œuvre, avec ce que cela comporte de désordonné, d'imparfait... parce que c'était urgent. Trait de crayon, trait de génie...* »

Exécutée dans l'urgence ou soigneusement méditée, esquisse ou pièce en trois actes, film d'une heure et demie ou de deux heures dix, il faut les écrire ces films, il faut les répéter ces pièces, les distribuer — une bonne distribution, c'est déjà l'espoir d'un succès —, il faut aussi en assurer la mise en scène ou la mise en images. Même si « aucune de ces pièces ne le satisfait complètement », même si ces films, au début, ne sont que ses propres comédies filmées. Sacha travaille du soir au matin et du matin au soir, et d'un bout de l'année à l'autre.

Plus tard il découvrira l'intérêt d'autres sujets que l'amour, les femmes, ou le théâtre. Ces sujets historiques lui permettront, à l'abri de l'Histoire, de s'adresser à sa deuxième épouse (Yvonne Printemps), mais aussi et surtout de plaider sa propre cause après son arrestation de 1944 et les dures épreuves qui ont suivi. Il faut ajouter à cela des comédies musicales — le terme n'existe pas encore —, mais *Mariette, L'Amour masqué* ou *Mozart* ne sont pas autre chose, et la musique est d'Oskar Straus ou d'André Messager. Et quand il cesse de jouer la comédie sur scène, c'est pour devenir Talleyrand face à une caméra tout en dirigeant les autres personnages de ce *Diable boiteux* qu'il met en scène lui-même, ou encore dans *Napoléon.* Plus tard d'autres films naîtront comme *La Poison, Assassins et Voleurs,* où le rire le plus noir se mêle à l'amertume d'un Guitry qui consacre alors ses forces ultimes à prouver que les blessures peuvent parfois se transformer en œuvres d'art.

Observateur, peintre ou caricaturiste, auteur-acteur de films ou de théâtre, vous avez travaillé avec acharnement, Sacha, avec malice, avec bonheur, avec colère aussi. Avec talent toujours.

*

53

Pourtant, tout avait mal commencé.

Il avoue avoir été le cancre le plus lamentable et le plus illustre de France. Mais là encore, sa cause peut être plaidée et sa défense assurée. Il est né bien entendu à la manière de tous les enfants : de la rencontre de sa mère et de son père. Mais s'il a été mis au monde... c'est au monde de ses parents. Et ils ne sont pas ordinaires. Une mère romanesque qui, dès son séjour en Russie, a rêvé d'être actrice. Un père, acteur adulé, qui a pour lui toutes les faiblesses et qui l'a installé à cinq ans sur une scène de théâtre. Une fausse mère, Sarah Bernhardt, chez qui il se rend en visite avec son père et son frère Jean presque tous les dimanches, comme on assiste à une messe dominicale ! Aussi, quand le petit Sacha au destin singulier revient à Paris après le merveilleux séjour en Russie où sa vie était déjà si théâtrale, et qu'il habite chez sa vraie mère, qu'il connaît somme toute assez peu, il éprouve le sentiment d'un déséquilibre fâcheux : tout lui paraît gris. Ses « déterminants génétiques », comme disent les scientifiques, sont marqués d'images et de souvenirs qui sécrètent des trésors de dopamine et de sérotonine plutôt particuliers et inhabituels chez les enfants de cet âge. Même si ces ingrédients chimiques sont à cette époque totalement inconnus. Sa mère va en éprouver les caractéristiques surprenantes dès le début d'une scolarité parisienne tout à fait particulière — c'est le moins qu'on puisse dire.

Et du côté de Lucien, les choses ne s'arrangeront pas mieux. Sacha habite ou dort chez son père — ce qui est très fréquent —, ce père aussi célèbre comme séducteur que comme acteur, qui a pris pour devise une maxime d'Alfred Capus : « Je veux bien être embêté par une femme mais pas toujours par la même. » Sacha, dont le sens de l'observation est déjà très aiguisé, voit défiler chez ce bourreau des cœurs — il en gardera toujours le souvenir — un bon nombre de créatures du beau sexe ! Enfant actif et éveillé, il ne les regarde pas sans rêver à leurs attraits. Cela n'encourage guère au sérieux dans les études. D'autre part, il peut lui parvenir aussi aux oreilles des bribes de conversation où le théâtre, la vie parisienne, les mots d'auteurs défilent tout autant que les femmes. Son père reçoit peu, il est vrai, mais ceux qu'il reçoit chez lui s'appellent Jules Renard, Feydeau, Tristan Bernard, Alphonse Allais, Alfred Capus... De quoi marquer l'esprit du petit Sacha que leur humour attire. D'autant qu'il est parfois question de lui dans les bavardages et que chacun s'amuse de ses déboires scolaires dont la maman supporte seule le tracas. Si bien que — il l'avouera plus tard — Sacha ne se pose, en classe, qu'une question essentielle : « Pourquoi apprendre ce qui est dans les livres... puisque *ça y est !* »

A son retour de Saint-Pétersbourg, une des premières écoles qu'il fréquente se trouve au 15 de la rue Saint-Ferdinand-des-Ternes à Paris. Devenue école communale, elle devait être la mienne quand je suis arrivé à Paris en 1933 avec mes parents (simple coïncidence...). Le maître d'école enseigne par exemple le calcul. Et quand il demande :

— Combien font 2 et 2 ?

— 4, répond le chœur des élèves.

— 4 fois 8 ?

— 32 ! répond toujours le chœur.

Et le petit Sacha pense : « Ça fait trois jours de suite que nous le lui disons. Il l'a encore oublié ! »

C'est logique, n'est-ce pas ? Eh oui, c'était logique ! Mais à dix-huit ans, Sacha était encore en sixième ! Et là encore, ce n'est pas tout à fait sa faute...

La sixième, c'est un changement d'ère, disait Sacha. L'ère de l'enseignement primaire s'achève. On entre alors dans l'« ère secondaire ». J'ai buté, moi, sur la fin de l'ère primaire : j'ai redoublé ma septième. Sacha, lui, bute sur le commencement de l'ère secondaire : il redouble sa sixième. On l'inscrit dans un autre collège, également en sixième. Et bien entendu, à la fin de cette sixième et de ce redoublement, rien ne s'arrange. *Alors il fait une autre sixième !* C'est déjà la troisième dans un troisième établissement ! Sans succès. Il sera souvent renvoyé pour indiscipline caractérisée, à l'imitation de son frère Jean, son aîné d'un an, aussi chahuteur que lui. Alors papa Guitry s'en mêlera un certain jour auprès du directeur d'un ultime collège, après que maman Guitry eut échoué.

— S'il n'y a pas moyen de le tenir... renvoyez-le !

— Hé non, je ne peux pas.

— Comment « vous ne pouvez pas ? » s'indigne papa Lucien.

— Hé non. *Il ne vient pas !* répond le directeur. Je ne l'ai pas vu depuis cinq jours...

C'est au cours d'une de ses sixièmes, au lycée Janson-de-Sailly, lycée très huppé du 16e arrondissement de Paris, que les choses se sont le plus mal passées pour Sacha. Pour moi aussi, mais il m'a fallu sept ans pour convaincre cet établissement de mes insuffisances. J'ai été exclu après la seconde au motif que j'aurais été incapable de « passer » en première, mais que « ma présence n'était plus souhaitée en seconde ». Sacha, lui, n'est resté qu'une semaine à Janson. Sans doute trouve-t-il que le lycée ressemble à une prison. Il est pensionnaire, et pour sa première nuit au milieu de cinquante enfants dans un dortoir, il a l'impression de dormir *seul* pour la première fois de sa vie. Chassé de Janson après cette semaine de souffrance, on le replace alors dans un autre collège : Sainte-Croix de Neuilly (où j'ai fait bien des années plus tard ma philo !). La comparaison s'arrête là, rassurez-vous. Tout cancre ne devient pas forcément Sacha Guitry.

A Sainte-Croix, les choses ne s'arrangent pas beaucoup mieux. Même si en gymnastique, il obtient un deuxième prix. Il en est si tremblant qu'il s'écroule en enjambant l'estrade pour recueillir ce prix. Il fait rire tout le monde, mais ce n'est pas un argument suffisant pour qu'on le retienne l'année suivante. Une fois encore il n'a pas l'occasion de surmonter cet obstacle essentiel qu'on appelle la sixième. Il entre alors à Arcueil, chez les dominicains, toujours en sixième. Il y reste davantage mais il fait froid l'hiver, et Sacha est frileux. Il le sera toute sa vie. Son frère lui donne alors le meilleur conseil qui soit : « Fais-toi foutre à la porte ! » De trouvailles en trouvailles, pour y parvenir, il ne récolte que des punitions jusqu'au jour où il demande à voir le supérieur. Et leur entrevue ressemble à la première scène d'une pièce de Montherlant que Sacha aurait conseillée.

— Mon père... je ne crois plus en Dieu.

Silence sépulcral.

Le père Didon — car le supérieur d'Arcueil s'appelle Didon, ce qui n'est pas de chance, pour un supérieur de collège, que cette fâcheuse homonymie avec la reine de Carthage au temps où les potaches connaissaient l'existence de son amour fatal pour Énée, dans la poésie virgilienne —, le père Didon, donc, fronce ses sourcils étonnés jusqu'à les laisser tomber, et dans le silence devenu de plus en plus sépulcral, il murmure...

— Mon enfant... il faut croire en Dieu... il le faut, parce que, voyez-vous... Dieu... c'est certain.

Et après avoir avalé sa salive, il prie le petit Sacha de regagner sa classe en donnant l'ordre au garçon de bureau de ne plus jamais laisser entrer cet élève chez lui !

Seule sanction · à la suite de cette entrevue, pauvre petit Sacha, vous allez être condamné à servir la messe pendant trois mois ! Pour le renvoi c'est raté. Vous parvenez quand même à vos fins, après ces trois mois. Et à partir de là, chaque fois que vous serez renvoyé d'un collège en sixième, on vous replacera dans un autre collège... mais également en sixième. Si bien que vous ferez dix sixièmes ! Ce qui vous permettra, un jour, d'appeler cette classe maudite : « MA » sixième !

Tout cela ne facilite évidemment pas le fameux passage à l'ère secondaire. Pourtant papa Lucien intervient parfois en fronçant lui aussi ses sourcils épais, s'efforçant de montrer un visage sévère et une rigueur de bon aloi.

— Sacha !

— Oui... papa...

— J'ai peur que tu te maries en sixième !

— Ben...

Il n'en a pas encore l'âge, certes, mais « la femme » occupe déjà une grande part de ses pensées. Tous les jeunes hommes passent par ces couloirs étroits. Sacha éprouve donc le plus grand mal à se concentrer sur la récitation des préfectures et chefs-lieux des départements, allant jusqu'à se demander pourquoi il faut absolument les savoir par cœur ces fameux départements ! « On ne me demandait pas de mes nouvelles, écrit-il, on me demandait si je savais *mes* départements. » Ce possessif l'intriguait beaucoup. On lui reprochait de ne pas les savoir, ce qui l'agaçait, alors que tel ou tel de ses camarades savait, lui, les siens !

— C'étaient pourtant les mêmes, observait déjà le futur auteur dramatique.

C'est à treize ans qu'il connaît son premier battement de cœur. Pour une femme exquise, ravissante : l'épouse de Georges Feydeau. Il était le compagnon de jeux de son fils, à l'école. Il fait des économies pendant toute une semaine. Et il commet une folie le dimanche suivant : huit francs ! Un énorme bouquet de violettes qu'il a peine à tenir dans ses deux petites mains. L'épouse de Georges Feydeau recueille le bouquet dans les siennes en murmurant : « Oh ! les jolies fleurs ! » Elle les respire alors : « Hum... elles sentent bon. » Puis elle ajoute en le congédiant : « Tu remercieras bien ton papa de ma part... »

Était-il déjà le rival de son père ? L'histoire ne le dit pas. Mais ce n'est pas impossible. Lucien n'était-il pas l'auteur de ce mot : « On me dit qu'il ne faut pas coucher avec les femmes des amis. Bien. Mais alors... avec lesquelles ? » Les vertiges de l'adolescence, que nous avons tous connus, ne sont jamais faits pour favoriser une scolarité exigeante et néanmoins nécessaire. Si bien que son père, les sourcils toujours aussi froncés et le visage de plus en plus sévère, est un jour contraint de l'admonester plus violemment :

— Sacha !

— Oui... papa...

— J'ai peur que tu meures en sixième !

— Ben...

— Est-ce que tu ne crois pas que...

— Oh ! si papa !

Et c'est ainsi que Sacha Guitry termina ses études. Sans les avoir faites.

Papa en portait une part de responsabilité. Lucien adorait déjeuner parfois à Armenonville, à la belle saison. Il y emmenait son fils, malgré les protestations du directeur de l'institution :

— Il n'a pas fait ses devoirs !

— Foutez-vous-en, monsieur Mariaud !

« Tout ce que je sais, c'est à mon ignorance que je le dois », observe Sacha dans ses Mémoires, ajoutant qu'il rêve en vieillissant d'un professeur qui dirait à un enfant : « Vous n'avez pas été sage, tantôt. Pour votre punition, vous n'assisterez pas à la classe. » Sa scolarité ratée lui inspirera bien d'autres réflexions salutaires sur l'éducation. « Il est nécessaire que dès le plus jeune âge nous apprenions à vivre en commun. Le grand malheur c'est qu'au collège, justement, on ne nous l'apprend pas. C'est un crime que de ne pas nous dire que le travail est la plus grande joie de la vie. Si nous avions, dès l'enfance, cette idée bien ancrée dans la tête que du choix de notre métier *dépend notre bonheur*... nous nous appliquerions davantage. » Il rêve aussi — c'est une utopie dont je serai plus tard la victime — de classes faites dans d'immenses bibliothèques où les élèves auraient le droit de choisir à leur gré... les livres qui les intéressent, comme la plus haute récompense qui puisse leur être accordée, si par hasard ils ignorent tout d'une question.

Pour avoir tenté, lors d'un examen de littérature, de mettre cette idée en pratique, j'ai été renvoyé du Conservatoire national d'art dramatique. Je ne savais rien du théâtre grec. Je voulais compenser mon ignorance d'alors en m'emparant d'un livre qui racontait Sophocle, Euripide et Aristophane et que je venais de repérer dans un rayon de la bibliothèque de la rue de Madrid où se déroulait l'examen.

— Piat !

— Oui, Monsieur ?

— Sortez !

Mis de la sorte à la porte, je n'ai pas pu participer au concours dit « de sortie » — mauvais jeu des mots — en 1946.

L'âge nous permet à tous de méditer sur les raisons d'une scolarité fluctuante. Sacha a la conviction qu'un enfant est extrêmement intelligent entre huit et quatorze ans ! Bien plus qu'après ! Au sortir du collège, dit-il, un jeune homme ne sait rien de la vie, et, libéré de la surveillance de ses professeurs, libéré du joug familial, il est sans défense... prêt à faire toutes sortes de sottises possibles. Tout peut revenir plus tard certes, mais entre quatorze et vingt ans quel temps perdu ! « Comment n'être pas poursuivi par la pensée qu'un enfant de dix ans est un homme... qui n'est encore âgé *que* de dix ans ! » Il n'ajoute pas « avec tous ses défauts, d'ailleurs », mais il le pense.

Il estime qu'on parle trop aux enfants du passé et pas assez de l'avenir. La morale leur est enseignée sur des textes anciens en un langage qui manque de clarté.

Est-ce la fréquentation de certains collèges religieux qui le fait parler ainsi ? On a soudain l'impression que Sacha Guitry aurait pu participer utilement aux séances réformatrices de Vatican II, concernant la liturgie. D'autre part il interroge les parents.

« Pourquoi d'un plat manqué dire à son fils :

« — Prie le bon Dieu d'en avoir comme ça toute ta vie ! En voilà une idée, par exemple ! Pourquoi ne pas lui dire plutôt : Travaille ! Et tu pourras t'offrir un jour les choses que tu aimes !

« ...Sans avoir à déranger le bon Dieu pour cela ! »

Il reproche à l'instruction qui lui a été donnée de ne pas être une arme. Or le début de la vie est une lutte, dit-il. Contre les autres. Contre les événements. *Contre soi-même*. Une année de misère et de difficulté nous en apprend beaucoup plus sur nous-mêmes que dix années de pension...

Il les a vécues ces années de misère au début de sa vie, aussi bien professionnellement que conjugalement.

S'il a donc pu se vanter d'être le plus illustre et le plus lamentable des cancres, on sait maintenant à quel point sa passion du travail lui avait permis de rattraper le temps perdu.

Il demeure convaincu qu'un homme (ou une femme) qui fait sans plaisir un métier pour lequel il (ou elle) n'était pas fait, dans le seul but « de gagner sa vie », est le plus malheureux des êtres.

— Travailler sans en avoir envie ce n'est pas un travail que l'on fait. C'est une besogne ! C'est faire l'amour avec une femme sans l'avoir désirée. *D'abord il faut pouvoir !* écrit-il encore.

Il croit que le nombre de gens qui exercent des professions pour lesquelles ils n'étaient pas faits est aussi grand que le nombre de ceux qui ont épousé des femmes qui n'étaient pas faites pour eux... « Et c'est une des raisons pour lesquelles tout va si mal, constate-t-il, puisqu'il paraît que tout va mal. »

Lucidité tardive car, sur le chapitre des dames, Sacha ne semble pas avoir suivi ses propres conseils pour trouver auprès de ses épouses toutes les félicités qu'il s'estimait en droit d'attendre d'elles.

Mais on se trouve là face à une contradiction

propre à bien des moralistes : « Faites ce que je dis, ne faites pas ce que je fais ! »

*

On peut tout de même se demander pourquoi Sacha avait buté à ce point sur cette maudite sixième. Sans doute parce que cette classe distingue déjà l'enfant de l'adolescent. Fini la maîtresse unique. On se trouve confronté à un ensemble de professeurs. L'ambiance, le cocon presque familial des classes primaires, laisse place soudain à une ambiance plus « sociale » où le sens de l'organisation du travail est déjà exigé de l'enfant. C'est un avant-goût des obligations de l'adulte. Certains n'y sont pas préparés. On ne s'en accommode pas facilement. Surtout ceux qui, comme Sacha, ont connu bien d'autres rêves, bien d'autres tendresses et fait bien d'autres rencontres tant à Paris qu'en Russie. S'y ajoute le déséquilibre d'une séparation entre un père, illustre comédien, et une mère qui l'est devenue, elle aussi, sans aucun titre de gloire... hélas !

Oui, le petit Sacha avait bien des excuses...

Invité à Janson-de-Sailly en 1934, le 17 novembre (par ce même proviseur qui, sept années plus tard, « me signifiera mon congé » — encore une coïncidence...), il eut l'occasion, lors du banquet du cinquantenaire de cet établissement, d'évoquer ces huit jours passés au lycée. Il y prononça un petit discours admirable en cent vers, rappelant une punition — en cent lignes — qu'il avait un jour récoltée à l'indignation de son professeur.

> *Vous aviez à faire cent lignes,*
> *Vous n'avez pas voulu les faire, c'est indigne !*
> *Et vous ne rentrerez ici, vous m'entendez,*
> *que quand vous aurez fait vos cent lignes.*
> *Sortez !*

Et Sacha de conclure devant la noble assemblée :

> *Eh bien, messieurs, je les ai faites*
> *Il disait vrai ce bon vieillard*
> *Et puisque de Janson vous célébrez la fête*
> *Et m'en ouvrez les portes*
> *Mes cent lignes, les voici donc*
> *Je les apporte*
> *Avec quarante ans de retard.*

Il s'était dispensé, ce jour-là, devant un parterre unique, réunissant toutes les gloires d'une France de 1934 — politiques, littéraires, artistiques, scientifiques —, de se laisser aller à bâtons rompus sur le dos de l'Éducation. Cela aurait été un manque de tact. Il s'était contenté d'évoquer en quelques vers légers sa stupeur d'avoir été invité à cet anniversaire.

Est-ce pour me punir ou pour me rajeunir
Qu'on m'a si gentiment demandé de venir ?
Non, ce n'est pas pour me punir.
Et tout à coup je crois deviner la raison
Qui vous fait m'accueillir...
Il vous fallait un repoussoir !
Et vous ne pouviez pas en trouver un meilleur
Je suis... le paresseux parmi les travailleurs
Je suis l'oison parmi les aigles...
Enfin chez vous, Messieurs, je suis l'exception
Qui confirme la règle.

Mais repensant néanmoins à ces fameux départements dont l'obsession le poursuivait encore, après quarante années, il avait avoué dans cet impromptu sa crainte d'être interrompu par une question précise d'un ancien « prof de géo »...

Savez-vous enfin les sous-préfectures
Du département de la Côte-d'Or ?
Or voyez d'ici ma torture
Obligé d'avouer « non monsieur, pas encore »...

Hélas ! Sacha, vous êtes mort avant que ces départements ne passent d'une identité géographique à une identité arithmétique.

Le jour de ce banquet du cinquantenaire, vous alliez atteindre la cinquantaine. Ce qui vous permettait de penser que « cinquante ans, c'est jeune

pour des murs ! *Mais pour un homme, c'est mûr* ».
Incorrigible légèreté d'être.

Au point d'en oublier un mauvais souvenir d'enfance : l'hilarité générale que vous aviez déclenchée dans cette énième sixième B en révélant à vos condisciples votre prénom de Sacha qui s'était illico transformé en PACHA ou en CRACHAT.

Curieuse distinction qui pourrait résumer ce que vous paraissiez être aux yeux des uns jusqu'à la guerre et ce que vous avez reçu des autres... après !

C'est à Janson que vous avez éprouvé la solitude de l'écolier au milieu de vos camarades.

C'est à Janson que j'ai ressenti pour la première fois, un jour de 1936, au milieu des miens, grâce à un « prof » de lettres, M. Maurice Rat, la merveilleuse solitude de l'acteur sur une estrade en y lisant, en classe de français, le rôle de Don César de *Ruy Blas* que j'aurais le bonheur de jouer vingt-quatre ans plus tard à la Comédie-Française.

Que les hommes ont donc la mémoire courte ! Et se peut-il qu'en devenant des pères, ils oublient aussitôt qu'ils ont été des fils...

Si l'expression « tel père, tel fils » a jamais eu un sens, c'est aux Guitry qu'elle pourrait le devoir, tant leurs caractères, leurs personnalités étaient semblables... Jusqu'au timbre de leurs voix qui, parfois, se confondait. Est-ce parce que Lucien était acteur et que Sacha souhaitait le devenir ?

Est-ce parce que l'acteur Lucien aurait peut-être préféré devenir auteur dramatique comme Sacha ?

« Guitry, c'est un homme de lettres qui joue au lieu d'écrire », disait Jules Renard de Lucien.

Il est bien vrai qu'en ce temps-là Lucien jouait (très bien) et écrivait (de même). Tout comme Sacha.

Alors jouons ensemble, à notre tour, un petit jeu très simple.

Voici deux textes ayant trait au théâtre. Je vous propose de les lire avec attention, afin de deviner qui en sont les auteurs... sans vous reporter, s'il vous plaît, aux pages suivantes. Merci.

... Je reçus un soir dans ma loge la visite peu souhaitée d'un auteur dramatique dont j'appréciais le talent mais dont la réputation était effroyable dans le monde théâtral. On avait des ennuis terribles par lui, et le moindre était encore l'insuccès de ses pièces qui, au moins, en limitait la durée, tandis que les procès que vous valait l'étourderie d'avoir retenu un de ses manuscrits durait autant que le « Chagrin d'amour » de Martini... « toute la vie ».

— Je travaille pour vous, m'avoua-t-il, oui je voudrais vous faire un rôle de Parisien ! Mais un vrai *— fanfaron de l'inconduite et galant homme accompli ; mauvaise tête et bon cœur ; sceptique et cocardier ; grand trousseur de cotillons tout en professant bien haut le respect de la femme ; bon, généreux, sincère, cinglant de ses sarcasmes les riches qui croient que tout est à vendre, et toujours prêt à glisser un louis dans le gousset d'un camarade malchanceux. Un de ces hommes pour qui la parole vaut mieux qu'un écrit, qui ne rougit pas de faire le signe de croix quand passe une procession, quitte à blaguer ensuite le vicaire sur le célibat forcé des prêtres...*

Et il allait..., il allait... sans qu'il me fût possible de découvrir ce qui pourrait bien amener la fin de cette folle énumération des belles qualités du Parisien.

Cependant, et sans que je m'en fusse aperçu, il s'était arrêté et, souriant, il me considérait :

— Hé ! bien, poursuivit-il, cela vous irait ce personnage, hein, mon gaillard !

Je sentis en moi un grand vide comparable à celui qu'impose à certains diaphragmes le départ de l'ascenseur alors qu'il abandonne un étage pour regagner le rez-de-chaussée. J'étais en même temps sollicité par l'envie affolante de dire des gros mots, de très gros mots, les plus gros mots connus, non pas à lui destinés, pauvre cher homme, mais simplement pour les entendre. Je parvins, par un effort énorme, à réfréner ce désir impérieux, en accordant à la violence que je me faisais un caractère éminemment provisoire, et ce fut avec douceur que je lui répondis en ces termes :

— D'abord et avant tout... une question, vous voulez bien ?

— Pardieu !

Du diable si je savais quelle question j'allais poser.

— Vous ne vous froisserez pas ?

— Mais non !

Je cherchais ma question.

— C'est que je vous sais susceptible.

— Moi, grands dieux !

— Enfin... vous êtes fier.

71

— *Mon ami... Que diable voulez-vous... Oui, j'ai une certaine fierté, mais de là à...*

— *Enfin, vous êtes sensible ?*

— *Ah, ça, oui ! Mais entre nous peut-on rien faire sans de la sensibilité ? Ceux qui n'ont pas de talent...*

— *Oh ! Votre talent n'est pas en cause.*

— *Eh bien, alors, parlez...*

— *Vous le voulez ?*

— *Mais oui.*

Je cherchais toujours, mais je parlais et en parlant je ne trouvais rien.

— *Voyons... hum... (et je pris le temps de réflexion, inutile d'ailleurs). Votre personnage ?...*

— *Quoi ?*

— *Votre Parisien ?...*

— *Oui.*

— *Est-ce... ? Répondez-moi franchement.*

— *Parole d'honneur. Mais dites...*

— *Est-ce un homme intelligent ?*

— *Oh ! fit-il avec éclat, l'intelligence même.*

— *Vraiment ?*

— *Vraiment.*

J'avais trouvé.

— *Alors, fis-je glacé, rien à faire !*

— *Pourquoi ?*

— *Parce que... actuellement, je veux jouer un cul.*

Je pensais avoir soudain devant moi une statue.

— *Un... quoi ?*

— *Un cul.*

— *Un q ?*

— *Non ! Un cul.*

— *... ? Un cul... c, u, l ?*

— *Oui. Un cul.*

Voilà. Je l'avais dit. Et j'avais entendu avec une stupeur mêlée de ravissement ma voix, ma voix personnelle, qui me semblait pourtant un peu changée, et qui lançait ce mot. J'étais honteux mais en pleine volupté... j'attendais la chute du plafond, l'effondrement du plancher, la dispersion des murs.

Rien de tout cela. Mais tout simplement cette petite repartie du dramaturge dont aucun muscle facial ou autre ne trahissait indignation, surprise ou découragement.

— *Ce n'est pas un cul, confessait-il doucement avec une honnêteté embuée de regret.*

Il avait répliqué assez vite. Je pense qu'il s'était évertué au prompt renvoi de ce mot d'abord par un instinct qui commande la riposte, mais aussi, et je crois surtout, pour m'épargner à la réflexion la grande gêne et la petite honte d'avoir été, dans notre entretien, seul à user de ce vocable, et pour lui constituer, l'employant à son tour, une sorte d'aplomb robuste.

— *Non, ce n'est pas un cul, se plaisait-il à redire.*

Et comprenant que moi aussi j'allais répéter « rien à faire », tout à coup il appliqua sa main droite sur ses yeux, cependant que la gauche s'agitait doucement vers moi à la façon des chefs d'orchestre qui tentent d'apaiser les cuivres. Ses deux mains, après quoi, caressèrent ses joues, et l'œil perdu, il sembla interroger d'invisibles constellations.

Tout ce que la créature humaine peut feindre d'intérêt récapitulatif sur un personnage inexistant, il le feignit, rapport au rôle qui m'était destiné.

— Minute, disait-il extasié, minute... je pense...

Très clairement pour moi il ne pensait qu'à rendre à peu près honorable à mes yeux une capitulation déjà résolue dans son esprit et qu'il eût volontiers accompagnée d'une livraison enthousiaste de son honneur auquel il aurait joint celui de sa famille.

Quand il jugea qu'à la durée de ses réflexions je pouvais croire qu'il avait examiné son Parisien d'un bout à l'autre, il cessa de penser : il parla...

— Entendons-nous bien sur mon bonhomme. Je vous ai dit que ce n'était pas un cul... attendez... attendez... (et comme j'allais renouveler mon geste de refus) attendez...

Puis, très résolument, il déclara ·

— Si, au fait, c'est un cul.

Et alors, ouvrant les bras comme si dans un large envol il eût voulu franchir l'Himalaya, il dit encore :

— Oui, c'est un cul ! Mais quel cul !

Voici maintenant la seconde partie du jeu : l'histoire que raconte l'autre.

C'était un vieil auteur, poète de talent, et qui jonglait avec les mots comme pas un.

Il avait eu naguère un ou deux succès qui l'avaient fait connaître : Le Capitaine Fracasse, Plus que reine, *mais depuis vingt années, trois fours retentissants l'avaient rendu célèbre.*

Célèbre et redoutable, hélas !

Quand il apparaissait, un manuscrit sous le bras, on se poussait du coude, et tout de suite la question se posait de savoir comment on allait s'y prendre pour éviter une lecture et pour évincer le cher homme — non sans égard, bien entendu, car il était fort estimable et sympathique et qui plus est spirituel.

Nous lui devons en effet cette enveloppe fameuse :

Monsieur Porel, directeur de l'Odéon,
Place de l'Odéon
(Seine-et-Oise) !

Pourquoi ne dirais-je pas son nom ?

Dans la crainte, pour lui, que vous ne me le fassiez répéter.

C'était Émile Bergerat*.

Il avait épousé la fille cadette de Théophile Gautier.

Notoire à cette époque — il tomba définitivement dans l'oubli en entrant à l'Académie Goncourt...

La tragi-comédie que je veux vous conter se situe

---

* Ce brave M. Bergerat a tout de même une rue à Neuilly ; quant à Théophile Gautier, il a droit à la sienne à côté de chez lui, dans Neuilly également.

dans une loge au théâtre de la Renaissance, vers l'an 1905.

Et puisque à mon souvenir elle se présente dialoguée, la voici donc telle quelle.

(Bergerat entre, il a un manuscrit qui émerge de la poche de son pardessus et dès l'abord, haussant le ton, il s'exprime avec une assurance qui dissimule mal pourtant sa juste crainte).

Émile Bergerat : *Guitry, je vous apporte une pièce !*

Guitry : *Ah !*

(Pendant toute cette scène, Guitry témoignera de la plus grande hypocrisie).

Émile Bergerat : *Oui. Et non seulement une belle pièce, mais aussi le plus admirable rôle que jamais vous ayez joué de votre vie. Le bonhomme que je vous destine est un de ces lutteurs que les événements les plus dramatiques ne sauraient ébranler. Doué d'une intelligence supérieure, il regarde la vie en face, domine tous ceux qui ont l'audace ou la malchance de se trouver sur sa route... et quant à ceux qui lui résistent... il les brise !*

Guitry : *Vous tombez mal, cher Bergerat. J'en ai trop joué de ces bonshommes-là. J'en ai assez. Et voyez-vous... à l'heure actuelle, ce que j'aimerais jouer — vous allez me comprendre d'un mot — oui, ce que j'aimerais jouer... c'est un cul !*

Émile Bergerat : *Un... cul ?*

(Et le cher Bergerat qui, en toutes circonstances,

aurait souri, prenait très au sérieux ce singulier désir parce que sa pièce était en cause).

Émile Bergerat : *Un... cul ?*

Guitry : *Oui. Et votre personnage n'est pas un cul ?*

Émile Bergerat : *Non... évidemment, non... on ne peut pas dire que c'est un cul... Non, ce n'est pas un cul.*

(Et ce mot il le répétait avec un tel sérieux que c'en était presque émouvant. Il voyait s'effondrer à jamais son espoir).

Émile Bergerat : *Quand je dis que ce n'est pas un cul, comprenons-nous, Guitry. En vérité... ce n'est pas ce qu'on appelle ordinairement un cul...*

Guitry : *C'est même le contraire.*

Émile Bergerat : *Hé ! Hé ! Le contraire, c'est beaucoup dire... Car, entre nous, Guitry, je peux bien vous l'avouer... mon bonhomme, dans le fond... j'y pense tout à coup... ce n'est pas autre chose qu'un cul... Oui... Mais alors quel cul !*

Voilà, le jeu est terminé.

Vous l'avez constaté, chacun raconte la même histoire. Mais dans le premier cas, Lucien la raconte en cinq pages. Le langage est excellent mais compliqué et, disons-le, un peu trop orné, comme une station de métro 1900, « style nouille ».

Dans le second cas, Sacha la raconte en auteur dramatique. Il présente un scénario, des personnages, donne même des indications de jeu à l'interprête éventuel de Lucien Guitry. Sans mots inutiles. C'est rapide, nerveux. C'est un auteur doublé d'un acteur qui sait à quel point le public s'impatiente très vite dans une salle et qu'il faut par conséquent « ne pas trop s'attarder ». Sinon on entend le grincement des fauteuils. Résultat : deux pages et demie !

Lucien a-t-il su que Sacha lui avait un jour emprunté cette anecdote ? Je l'ignore et tant pis. Mais ce que l'on peut retenir, c'est d'abord une forme d'humour semblable. Ensuite, que ce plagiat de Lucien par Sacha est le symbole d'une sensibilité identique qui les unit depuis que Lucien a enlevé Sacha, à cinq ans, pour le garder près de lui à Saint-Pétersbourg.

Sans révéler ses sources, Sacha rapporte cette histoire de cul — si j'ose dire — dans un livre dédié à la gloire du théâtre et où l'amour qu'il lui porte éclate à chaque page. Amour du théâtre mais aussi vénération pour ce père... qu'il estime avoir été le plus grand acteur de son temps. Même s'il pense — et c'est hélas vrai — qu'un grand acteur ne laisse rien après lui. Avec tout de même cette rectification ultime : « Le plus grand comédien du monde ne laisse rien après lui ? Relisez donc les pièces qu'il a créées... et vous verrez. Le grand comédien ressent les réactions du public. Il en profite. Il en fait profiter l'auteur. Il lui fait entrevoir des possibilités auxquelles celui-ci n'avait pas songé... »

C'est un très bel hommage qu'il adresse là à notre

profession. Mais je doute beaucoup de son objectivité. Sacha a pour son père qu'il admire des indulgences (justifiées) que la plupart des auteurs n'ont pas : Sacha lui-même n'en manifeste guère quand il s'agit de son propre texte. « Tous les comédiens n'ont pas la qualité qu'il faut pour écrire des pièces, dit-il. Le grand malheur c'est que parfois les mots qu'ils ajoutent " font de l'effet ". Ils font rire. Ils sont alors heureux. Ils sont perdus. Ils ont préféré sauver leur peau que sauver une pièce. J'ai vu deux grandes actrices faire cela. C'est honteux... »

La seule excuse qu'un acteur peut revendiquer — Sacha le sait —, c'est que tous les soirs il est devant un public. Il sent son désarroi ou son ennui. Il cherche alors par tous les moyens à « l'en tirer » en oubliant, c'est vrai..., que la fin ne justifie pas toujours les moyens. C'est un vieux débat qui nous oppose à tous les auteurs dramatiques.

Sacha était auteur et acteur. Il ressentait ce que nous ressentons tous et il pouvait, lui, modifier ses répliques, en toute impunité. Ce qu'il se permettait en rectifiant pieusement le texte de son père racontant la visite d'Émile Bergerat.

Une question se pose alors. Pourquoi ces deux géants qui s'adoraient se sont-ils un jour fâchés ? Et fâchés à la mesure de leur taille. Pendant treize ans ! Des causes existent, certes. Des prétextes précis, où « la femme » joue son rôle, mais pas au point tout de même que cette désunion dure... treize années !

Car pendant treize ans, malgré tous les efforts tentés par les uns et les autres pour les réconcilier, ils se sont volontairement ignorés.

Pourquoi ?

La psychanalyse moderne nous révèle qu'un enfant ayant une forte personnalité se retrouve un jour face à son père et le tue ! Enfin... psychologiquement s'entend (grâce au ciel). Étant père moi-même, j'ai toujours trouvé cette révélation extrêmement désagréable. Et pourtant, il faut bien admettre qu'elle explique certaines attitudes, certains désaccords plus ou moins rudes. Dans notre société moderne, en cas de divorce, c'est la mère qui, ayant la garde des enfants, reçoit les coups et risque alors la « mort » réservée traditionnellement au père. Dans le cas Guitry — objection, Votre Honneur —, c'est bien à son père que les coups vont s'adresser. Sacha a perdu sa mère à l'âge de dix-sept ans (... moi aussi d'ailleurs). Même s'il a vécu une grande partie de son adolescence chez elle (dont il ne parle presque jamais), même s'il va garder dans sa chambre et jusqu'au dernier jour de sa vie un superbe portrait la représentant — peut-être se reprochait-il confusément de l'avoir mal aimée —, c'est donc de son père qu'il doit — et qu'il va — se libérer ! Et, là encore, le théâtre a sa part. Ni Lucien ni Sacha, qui plus tard la jugera, ne peuvent admettre que Renée de Pont-Jest qui jouait avant de mourir sous les deux noms contractés, Renée de Pont-Try, n'avait pas le talent nécessaire à leur exigence. Exigence sévère dès que le théâtre est en cause (Sacha, en vieillissant, sera infiniment plus indulgent avec ses épouses...).

Le premier motif du désaccord entre le père et le fils, c'est donc ce nom : Guitry.

Le jour où, dans une lettre prudente, Sacha avoue à son père qu'il voudrait devenir acteur, il obtient une réponse vague, « nous en reparlerons », ce qui signifie généralement qu'on n'en parlera plus jamais. Est-ce parce que Lucien craint que le fils n'ait pas plus de talent que la mère ? Ce n'est pas impossible. Il est d'ailleurs rare que les acteurs que nous sommes se réjouissent d'emblée de voir leur progéniture embrasser la même carrière. Sans doute est-ce le souci de protéger nos enfants qui transforme l'amour qu'on leur doit en peurs instinctives devant les obstacles et les difficultés que nous avons plus ou moins bien supportés au long des années.

Aux yeux de son père, le jeune Sacha saura-t-il se montrer digne du nom qu'il porte ? Pour Lucien, c'est essentiel.

Quand j'ai dit à mon père — qui lui n'avait pas de nom et qui était à des années-lumière de l'univers théâtral — « je voudrais devenir acteur », il m'a simplement répondu :

— Je veux bien, mais il faudrait peut-être faire quelque chose de sérieux à côté.

C'était direct ! Net et précis.

81

La réponse vague de Lucien, « nous en reparlerons », ne peut donc pas satisfaire Sacha.

D'autant que Lucien se montre ingrat envers le passé. Car quand il a, lui, à quatorze ans, avoué à son père, Louis Guitry, le même désir de « faire du théâtre », ce Louis-là aurait volontiers crié sa joie sur tous les toits. Il avait toujours rêvé, tenant boutique de barbier dans une rue proche de la Comédie-Française... d'y entrer à son tour ! Il allait même jusqu'à parler en alexandrins à sa clientèle ! Sacha pouvait donc espérer de son père la même réaction que celle de son grand-père Louis. Attaqué quelques semaines plus tard sur le même chapitre, Lucien répond d'une phrase qui n'est guère plus encourageante : « Si tu y tiens... »

Quand, devenu directeur de théâtre, Lucien acceptera enfin l'idée, il ne voudra à aucun prix que son fils joue sous le nom de Guitry ! Il lui propose celui de Lorcey. Même si ce nom appartient à un personnage d'une pièce de Maurice Donnay, Sacha est surpris. Mais, pour Lucien, « c'est sans appel ! ». Le nom de Guitry ne doit pas être compromis et il le lui exprime avec violence.

Premier choc, première raison. Et il y en a bien d'autres...

Quand Sacha écrira son livre, *Si j'ai bonne mémoire*, à l'aube de sa cinquantième année, il donnera pudiquement le motif anecdotique de cette rupture : une entrée ratée, dans une pièce... « Avec le temps... va... tout s'en va », dit le poète. C'est très incomplet.

Ce que ne révèle pas le livre, c'est que Sacha partage la vie d'une dame qui naguère a été dans les bras de son père ! Peu de temps, dit-on. C'est ce qui fait sans doute que papa Guitry très affriandé aurait volontiers remis le couvert. Hélas, pour lui cela ne s'est pas produit. A défaut de pouvoir se mettre à table, il ne supportera pas de voir son propre fils dîner à sa place...

La dame en question avait un jour passé une audition chez Lucien Guitry, directeur de la Renaissance. On l'avait avertie : les auditions finissent généralement sur le canapé. C'est une promotion que la morale réprouve, bien qu'encore consacrée de nos jours, par la pratique. D'ailleurs on aurait pu surnommer Lucien Guitry « divan le terrible » tant cette habitude (mauvaise) était solidement ancrée en lui. Sûre d'elle, la dame a pris le risque. Elle a alors obtenu un rôle. Mais un tout petit rôle. Un rôle minuscule, un rôlet ! Elle a le sentiment — légitime — d'avoir été possédée (tout aussi théâtralement que physiquement). Elle n'a donc jamais voulu re-céder ! Ayant fait entre-temps la connaissance du fils, elle a estimé que la plus belle des vengeances s'offrait à elle. Refuser le père pour s'ouvrir au fils. Ce qui fut très rapidement fait, au grand déplaisir de Lucien et pour le bonheur de Sacha...

Le problème c'est que Sacha prit goût à la dame.

Et que la dame, elle, devint amoureuse de Sacha. De neuf ans son aînée, elle va lui apporter peu à peu ce qui manque à ce jeune « noceur » : du plomb dans la tête. Et surtout son sens inné du théâtre. La dame, c'était Charlotte Lysès. Elle va devenir la première épouse de Sacha.

Deuxième raison de fracture, avec papa.

Je n'aurais pas épousé la fille de
Molière ou de Fragonard car je ne me
serais pas reconnu le droit de faire des
petits-fils... à des hommes pareils.

Revenons à vos Mémoires, cher Sacha. A la raison officielle de la rupture avec votre père. C'est pour vous une histoire de théâtre, bien entendu Un drame qui peut arriver à tous les acteurs : une entrée ratée. C'est ainsi que vous présentez la chose.

Je vous le dis une fois encore, ce genre d'incident ne justifie en aucun cas treize années de séparation entre deux êtres dont l'un, vous Sacha, avoue en toute occasion qu'il n'avait jamais rêvé autre chose que « d'épater l'adorable auteur de ses jours » et dont l'autre, Lucien, ne cessera d'appeler au fond de son cœur « son cher petit aimé » ou encore « son grand chéri, si cher petit », etc.

Tous les acteurs de théâtre, y compris les plus

attentifs (dont moi), ont un jour, au cours d'une longue carrière, éprouvé cette descente aux enfers, ce vide soudain dans l'estomac : une entrée ratée ! Elle est le résultat d'une distraction, d'une routine ou d'un excès de confiance envers la pendule, pendant un temps d'attente, plus ou moins occupé entre deux scènes.

Primerose reste à cet égard — Sacha, vous le savez aussi bien que moi — un des exemples les plus spectaculaires d'« entrées ratées », celui qu'on se raconte, en coulisses, de génération en génération, comme un rappel nécessaire à la vigilance.

Primerose est une comédie poético-larmoyante de De Flers et Caillavet dont le héros, Pierre de Lancry, ruiné par la faillite d'une banque, renonce à l'amour d'une jeune fille — Primerose — et part pour l'Amérique afin de refaire sa fortune et se montrer alors digne de la ferveur de ladite jeune fille. Quand il en revient, riche et fortuné, Primerose, désespérée, est entrée au couvent. C'est là où le drame commence...

L'acteur incarnant Pierre de Lancry, pour une cause plus ou moins avouable, s'est attardé dans une loge alors que déjà il devrait être en scène. Pas de Lancry ! Panique à bord. Les nonnes et la supérieure s'efforcent de gagner du temps et « font du texte », c'est-à-dire qu'elles disent n'importe quoi, n'importe comment, pour permettre au sieur Lancry de quitter l'Amérique et sa provisoire occupation — plus ou moins avouable — pour arracher sa Primerose du couvent...

Une nonne : *Il devrait être là !*

Une autre (affirmative) : *Ah... Oui... Il devrait !*

La supérieure : *Ne serait-ce pas lui que j'aperçois... courant le long du parc ?*

Une voix (faussement désinvolte) : *Où cela ?*

La supérieure : *Derrière le grand chêne.*

La voix : *Oh ! non...*

La supérieure : *Pourtant...*

Le chœur des nonnes : *Non... non... non !*

La voix (désinvolte) : *Si... si... si !*

— *Hein ?*

— *Quoi ?*

— *Ben...*

— *Mais...*

Bref ! Au bout d'un certain temps de cette plongée des nonnes dans la mare... l'acteur jouant le rôle du cardinal de Mérance, prélat mondain et amène, témoin de ce merdoiement et qui, lui, est en avance pour son entrée, se dit, en acteur consciencieux : « Il faut que je sauve la situation... »

Il ouvre alors la porte du décor pour entrer « au couvent » et « déblayer le terrain », mais dans sa précipitation... il oublie qu'un praticable de deux marches en marque l'accès. Il bute sur la première et se prend alors les pieds dans sa robe de pourpre cardinalice et s'étale de tout son long...

Éclats de rire du couvent sur scène. Éclats de rire du public dans la salle.

Passant au-dessus de cette hilarité afin de reprendre le cours du spectacle, la mère supérieure pense elle aussi : « Il faut que je sauve la situation. » Un peu troublée — on le serait à moins —, elle tend une main secourable au cardinal étalé, en lui disant :

— Mais, relevez-vous donc... AMIRAL !

Cette transformation du cardinal en amiral, c'est le mot de trop.

Hurlements de rires sur scène. On est obligé de baisser le rideau.

Voilà pour *Primerose*.

*

Sacha débute donc chez son père, sous le nom de Lorcey, au Théâtre de la Renaissance, dans *La Bonne Hélène* de Jules Lemaître, aux appointements de trois cents francs par mois. Il y joue le rôle de Pâris.

— C'est beau, dit papa.

— Quoi ?

— Trois cents francs... c'est beau.

— Oui... c'est beau, répète Sacha, peu convaincu.

Ses débuts sous la direction de son père sont modestes mais encourageants. On ne dira pas à propos de son interprétation :

— Ha ! Ha ! Tiens ! Tiens !

On pense plutôt :
— Ce Lucien Guitry est extraordinaire, il ferait jouer n'importe qui.

Bon ou pas bon, Sacha, dans cette pièce qui n'a rien d'immortel, porte un costume somptueux. Son ami Nadar, le fils du grand photographe, photographe de talent lui-même, tient à fixer son image dans ce magnifique costume, perruque blonde, casque, jupette, bottes à lacets (toujours long à lacer les bottes à lacets).

Rendez-vous est pris un dimanche entre matinée et soirée. Sacha, son costume sous le bras, se rend en hâte chez Nadar. Nous sommes en janvier 1905. Il s'habille et la séance commence. Plaque après plaque, on bavarde. Entre deux poses, Sacha jette un coup d'œil sur *La Conversion d'Alceste*, de Courteline, qui vient de paraître. Cette lecture le passionne. Il en oublie l'heure. Et tout à coup :

Nadar : *Dis donc, Sacha.*
Sacha : *Quoi ?*
Nadar : *Il est neuf heures moins vingt !*
Sacha : *Bon sang !*

Il bondit, tout habillé. Mais contraint de renouer les lacets de ses bottes (c'est long !) il perd du temps ! Pas de fiacre rue d'Anjou ! Casque et perruque sous le bras, il court, il court, le Sacha... Au coin de la rue Tronchet et de la rue des Mathurins, miracle ! Un fiacre ! Une dame s'apprête à y monter :

Sacha (toujours en costume) : *Madame, Madame !*
La dame (surprise) : *Monsieur... ?*
Sacha : ... *Madame, je vous en supplie... Laissez-moi ce fiacre... Il faut que je sois à la caserne avant neuf heures !*

La dame ahurie par cette apparition mais pensant sans doute que les soldats français en 1905 sont désormais vêtus en guerriers grecs, s'incline alors, et, de bonne grâce, lui dit :
— En ce cas, militaire, prenez le fiacre...
Sacha, vous arrivez à la Renaissance. Le rideau est déjà levé. Vous foncez dans l'escalier pour rejoindre la scène. Le régisseur au passage vous signale que votre père est furieux. Vous n'en avez cure. Car vous entendez vos camarades combler, de leur mieux, le vide de votre absence avec à peu près les mêmes phrases stupides et les mêmes mots idiots que les nonnes du couvent de *Primerose*. Votre but est simple : arriver en scène le plus vite possible. Vous y parvenez enfin ! Et vous entendez le premier mot de la réplique de votre Hélène ! Le premier mot seulement...
— Aaaaah...
Le reste se perd en un rire étranglé.
Hélène pourtant devrait vous dire à ce moment :

— Ah ! voilà mon beau Pâris...

Mais le beau Pâris, en mettant son casque, a négligé un détail : sa perruque. Est-elle restée dans le fiacre ? Dans sa précipitation, il l'a oubliée ou perdue. Et quand Sacha enfile son casque — ô horreur —, ce heaume guerrier et grec lui descend sous le nez. Il lui bouche complètement la vue. Ce qui justifie l'étranglement de rire de la bonne Hélène. Étranglement et rire repris par les partenaires et le public. C'est l'emboîtage en règle. D'autant qu'un des acteurs en scène — Noizeux, mauvais camarade — en profite pour lancer une autre réplique qui n'est peut-être pas dans le texte original :

— Il a quelque chose de changé ce soir, notre Pâris !...

Sacha, qui a réussi à retirer son casque, le fusille du regard, mais il n'en faut pas davantage pour que l'hilarité générale monte encore d'un cran..., avant que, dans cette confusion tout aussi générale, le spectacle ne reprenne peu à peu ses droits.

A sa sortie de scène, le régisseur montre à Sacha le tableau de service : « *M. Lorcey, cent francs d'amende pour être arrivé en retard et avoir joué sans perruque... dans le but de faire rire ses camarades !* »

Sacha va trouver son père. Il proteste énergiquement : « *Cent francs, papa, c'est trop ! Je te jure que je n'ai pas fait exprès.* »

Lucien reste inflexible malgré les insistances de son fils.

— Je ne gagne que dix francs par cachet !

— C'est à prendre ou à laisser !

La suite de la conversation ne nous est pas parvenue. Mais on la devine aisément. Sachant que le caractère impérial du père est égal à celui, non moins impérial, et tout aussi détestable, du fils, tout s'envenime entre eux. Au point que Sacha réplique, sans plus de nuance :

— Eh bien... je laisse !

Quelques heures plus tard, il se retrouve dans un train qui l'emmène près de Toulon, chez Alphonse Allais.

Et dans votre livre de Mémoires, Sacha, vous concluez : « Et c'est pour cela — oui c'est pour cela — que pendant treize ans nous sommes restés sans nous voir, mon père et moi. » Mensonge par simple omission, Sacha, mais mensonge tout de même.

Votre double affirmation, un peu triste, ne laisse place à aucune autre explication. Elles apparaissent avec le temps. Il *vous fallait*, Sacha, pour devenir vous-même, pour devenir ce que vous étiez, que vous vous dégagiez de l'autorité paternelle. Depuis trop longtemps elle vous pesait. Même inconsciemment et malgré tout ce qu'elle vous permettait : une vie menée souvent aux frais de papa Lucien, l'argent facile, des voyages en commun, la peinture découverte ensemble, par exemple, dans les musées de Hollande — ce qui laissera en vous des traces profondes. Ne serait-ce que cette formule ravissante dans une lettre adressée à ce fils que vous n'avez jamais eu : « Rien n'est plus beau je crois qu'un Vermeer que l'on montre à la femme qu'on aime. »

Quant à papa Lucien, « agacé » par les attitudes et les défauts de son fils qui n'étaient autres que le reflet des siens, il ne pouvait pas supporter — soleil à son zénith — de voir sa progéniture lui faire la plus petite ombre qui soit. Ces deux êtres d'aussi mauvaise foi l'un que l'autre, au caractère identiquement exécrable parfois, mais que liaient une profonde estime et une véritable passion, se sont ainsi séparés pendant treize années par orgueil, et presque malgré eux.

Mais comment Lucien aurait-il pu accepter — tromperie insupportable — que « la petite intrigante » qu'il avait un jour, et une seule fois semble-t-il, allongée sur un divan, séduise à ce point ce fils qu'il adorait ? Comment Sacha pouvait-il ne pas comprendre que — le théâtre avant tout — cette dépendance sentimentale était un aveuglement stupide, un boulet aux pieds, une erreur impardonnable ! « Comment devient-on ce que l'on est ? » A cette question que lui posait peut-être Lucien, Sacha semblait répondre : « En m'affranchissant de toi. »

Cette séparation aurait pu être abrégée plus tôt si elle n'avait, à l'évidence, contribué à l'éclosion d'un

autre Guitry — prénommé Sacha — aux dons éclatants et qui avait le besoin irrépressible de naître.

*

A partir de cette fracture, Sacha va vivre, libre,
des temps de vaches maigres. Pourtant, en devenant
l'époux de Charlotte, ce temps-là sera aussi celui
des premières créations. D'instinct, elle a deviné en
lui des richesses insoupçonnées. Elle va apporter
dans la corbeille de noces une volonté nouvelle
pour lui : celle d'une femme de goût, d'une actrice
de talent et d'expérience — elle a neuf ans de plus
que lui, rappelons-le — qui déjà a pris place dans
un univers particulièrement dur. Ce que Sacha n'a
entrevu pour l'heure qu'à travers le miroir défor-
mant de la gloire paternelle. Elle va obliger l'enfant
gâté, noceur impénitent, à travailler ! Indulgente et
sévère, à l'image d'une mère qu'il n'a plus, elle va le
révéler à lui-même. En outre — et ce n'est pas un
détail négligeable — elle apporte à Sacha une rente
de vingt mille francs. C'est parfois bien utile pour
entretenir le cœur dans la chaumière.

Le théâtre les unit. Et même s'il va un jour les
désunir, Charlotte aura joué un rôle de première
importance en posant la première pierre du monument Sacha.

Après un temps d'activité incertaine, Sacha gagne
sa vie en dessinant et en rédigeant des slogans

publicitaires pour ELESKA (le petit déjeuner chocolaté reconstituant). Il fait épeler aux clients sur les étiquettes « Le K.K.O.L.S.K.C.S.KI ! Le cacao Eleska c'est exquis». Ou bien, autre produit de son imagination, alors qu'il pèse cent kilos, il vante les mérites d'une ceinture abdominale avec cette formule : « Mon ventre tombait. Grâce à la ceinture Franck et Braun... j'ai pu me baisser pour le ramasser ! »... Un jour, grâce cette fois à Charlotte... Sacha va redébuter au théâtre. Elle le fait engager pour la saison d'été au Casino de Saint-Valéry-en-Caux en juin 1905. Il a vingt ans, et c'est dans *Le Député de Bombignac*, une vieille comédie d'Alexandre Bisson, qu'il va donner la mesure de ses capacités...

Alexandre Bisson était un auteur bègue. Il lut un jour une de ses pièces à un directeur de théâtre qui ignorait sa petite infirmité. A la fin du premier acte, le directeur énervé interrompt la lecture en lui disant :

— Écoutez, Bisson, la pièce est drôle, mais tous ces personnages qui bégaient... à la fin c'est exaspérant !

Alexandre Bisson ne se formalisa point. Il avait beaucoup d'humour. C'est au contraire le directeur qui après explication se trouva fort dépité. Bisson était d'ailleurs habitué à ce genre de malentendu. S'étant pris de querelle un jour avec un de ses confrères auteur dramatique, il l'avait traité de « malotru » ! Le confrère s'en était ému et, furieux, avait exigé que Bisson retirât le mot. Et Bisson s'était aussitôt récrié :

— Ah ! non ! j'ai eu tro... op... de mal à le...e... pro... o... noncer...

Dans *Le Député de Bombignac*, Sacha avait à sa première entrée au milieu du premier acte une réplique interminable à lancer. Tous les personnages à son arrivée sur scène devaient le saluer d'un :

— Haaaaaa...

Très flatteur et retentissant de bonheur !

— Haaaa...

Et Sacha devait alors répliquer le plus gracieusement possible :

— Vraiment, mesdames, je ne sais comment vous remercier d'un accueil aussi cordial. Je viens passer trois semaines à Poitiers chez un vieil oncle à moi, et si ma visite est un peu matinale c'est que j'avais grand hâte de revoir Raymond et de lui serrer la main !

Longue, très longue première réplique d'entrée ! D'autant que quand on est jeune et qu'on a le trac... on oublie de la « respirer ». Sacha, bien des années plus tard, concluait à ce propos :

— Il n'y a qu'un auteur bègue pour avoir l'idée de donner à dire aux autres une phrase pareille !

Il suait à grosses gouttes avant d'entrer en scène, et sa moustache s'était décollée. Était-ce le trac ? La peur de la phrase ? Était-ce le pantalon de toile blanche qu'il portait et qui avait excessivement rétréci au blanchissage, déclenchant le fou rire de ses camarades à son entrée en scène ? Au lieu de dire : « Vraiment, mesdames... », il s'entend dire : « Vraiment merdailles... » Gloussement redoublé de ses camarades qui disparaît aussitôt sous les gloussements plus énormes encore du public. Sacha faisait rire — sans le vouloir — autant que Feydeau, Courteline et Tristan Bernard réunis ! Hélas, ce n'était rien encore ! Au troisième acte, Sacha avait à se lever, tel que son rôle l'exigeait. Il devait se précipiter vers une fenêtre et l'ouvrir. Il devait alors se pencher au-dehors puis se retourner vers ses partenaires en s'exclamant :

— Une voiture vient de s'arrêter devant le perron du château.

Il exécute avec brio toutes ces indications de mise en scène. Mais il ne sait pas que la fenêtre du décor s'ouvrant sur un coin de ciel bleu est appliquée au mur du théâtre. Il ouvre donc sa fenêtre de toute son âme. Il se penche avec vigueur au-dehors. Et il se cogne le crâne contre la toile d'azur collée au mur ! De quoi s'assommer littéralement ! Étourdi, violemment rejeté en arrière et se tenant le front, il se prend le pied dans le tapis de scène et s'étale de tout son long. Alors malgré le mal qu'il venait de se faire — ou à cause de lui —, Sacha se met à rire comme un fou. Et ses camarades en font autant. Et aucune puissance au monde n'aurait pu arrêter ce fou rire idiot. Le public, lui, ne comprenant pas la raison de cette hilarité prolongée, ne rit plus du tout. C'est d'ailleurs une loi : si vous comprenez, vous riez. Si vous ne comprenez pas, vous protestez !

Sacha, le soir même de cet emboîtage, était résilié. Tels furent ses seconds débuts pendant la saison d'été au théâtre de Saint-Valéry-en-Caux.

*

A dix-sept ans, Sacha avait lu un jour à son grand-père un premier essai, une première tentative de ce qu'on peut appeler une pièce de théâtre. C'était *Le Page*. Indulgent, le grand-père l'avait encouragé à continuer cette œuvrette que Sacha, trente ans plus tard, jugeait une pure stupidité.

Au soir de juin 1905 à Saint-Valéry-en-Caux, décidé à ne plus jamais jouer la comédie — serment d'ivrogne —, Sacha rentre à son hôtel, il achète en passant des crayons et du papier chez un marchand de couleurs et se met à dessiner. Et tout y passe : Jules Renard, Alfred Capus, Maurice Donnay, Tristan Bernard et son père ! Surtout son père, croqué en quelques traits. Et à force de penser à lui, à tout ce qui les a séparés depuis six mois déjà, l'idée lui vient de faire une pièce. Comme on se prend à rêver...

Est-ce l'anecdote qu'on lui a récemment contée qui l'inspire ? Son père s'étant pris de querelle dans un fiacre avec une jeune maîtresse, l'avait giflée ! La petite s'était alors mise à hurler ! « J'ai peur, j'ai peur ! » Lucien regrettant son geste l'avait immédiatement rassurée : « N'aie pas peur, je suis là ! »

Est-ce plus précisément les scènes de ménage qu'il a entendues éclater entre son père et sa mère avant leur divorce ? Ou après ? Ou bien encore celles dont il a eu connaissance et qui éclataient aussi entre Georges Feydeau et sa ravissante épouse qu'il aimait à treize ans ?

Peu importe. Sacha écrit une scène, puis une autre. L'important pour lui étant — il le dira plus tard — de ne pas déplaire à Jules Renard.

Deux heures plus tard, il a écrit un premier acte. Il le lit à Edmond Sée, auteur dramatique lui-même, venu le consoler de ses déboires sur la scène du Casino. Quelle est cette fulgurance qui jaillit entre eux ? Edmond Sée lui conseille de continuer. Et Sacha lui obéit ! Il écrit alors les trois actes de *Nono*.

Le 2 novembre 1905, il fait une première lecture à ses interprètes. C'est toujours une épreuve difficile. Il la remporte.

Le 3, il fait passer des auditions pour le rôle du jeune premier.

Le 4, il ne l'a pas trouvé.

Du 5 au 10, il hésite. Le 10... Eurêka... ! Ce rôle, qu'il estime devoir être joué avec sérieux, est lu par un jeune premier comique qui permet à Sacha de comprendre qu'il a écrit une pièce drôle ! Il vient de réussir avec succès une expérience délicate : celle de la fantaisie, si chère à Alfred de Musset. Ce jeune premier comique fera, lui aussi, carrière. Il s'appelle Victor Boucher *.

Sacha a vingt ans. *Nono* est son premier triomphe. Et il le relate dans ses Mémoires en se hâtant d'ajouter avec une modestie qui n'est pas feinte : « Oui, laissez-moi vous le dire. Tout à l'heure je vous dirai aussi quel four j'eus l'année suivante avec *La Clef.* »

En effet, jusqu'en 1911 et *Le Veilleur de nuit,* les échecs vont se succéder. Ils sont rarissimes dans la carrière de Sacha Guitry, mais ils existent. Et puisqu'il fait allusion à *La Clef,* ouvrons une parenthèse sur cette catastrophe.

En 1935, pour attaquer la saison du Théâtre de Paris, Léon Volterra, un des plus grands directeurs de théâtre d'avant-guerre, lui demande une pièce. Sacha lui donne alors *Quand jouons-nous la comédie !* Remodelage raté de *L'Épée de Damoclès* et animé de quelques souvenirs vivaces de sa rupture avec Yvonne Printemps. C'est un four total. Créée le 20 septembre, la pièce va devoir quitter l'affiche quinze jours plus tard ! Volterra ne sait comment le

---

* Très remarquable acteur au style fin et discret, créateur des *Vignes du Seigneur* et des *Temps difficiles* d'Édouard Bourdet, il dirigea plus tard le théâtre de la Michodière jusqu'à sa mort en 1942.

lui annoncer. Arrêter la représentation d'une pièce qu'il a lui-même commandée... c'est désagréable. Or, c'est dans ce même théâtre que Sacha a fait jouer *La Clef* en... 1907, après le triomphe de *Nono*. Devant l'embarras de Volterra venu le voir un certain soir dans sa loge pour lui annoncer l'arrêt des représentations de *Quand jouons-nous la comédie !*, Sacha le rassure en lui disant :

— Vous recevrez demain une lettre de moi qui mettra bien au point les choses. Vous la lirez dans les journaux...

Et le lendemain Volterra lit la lettre. D'abord surpris, il poursuit cette lecture avec ravissement...

« Mon cher ami...

« ... le jour de la lecture de *Quand jouons-nous la comédie !* au moment même où je l'ai commencé de lire, je vous ai dit ceci devant mes interprètes : " Mon cher Volterra, c'est la seconde pièce que je donne dans ce théâtre. Faites-moi le serment qu'elle restera sur l'affiche deux fois plus longtemps que la première. " Vous avez souri et vous m'avez fait ce serment. Or, ma première pièce jouée au Théâtre de Paris — c'était en 1907, il y a vingt-huit ans de cela — avait pour titre *La Clef.* Elle fut jouée neuf fois.

« *Quand jouons-nous la comédie !* doublera jeudi le cap de sa dix-huitième.

« Vous avez tenu votre serment. Vous êtes quitte envers moi.

« Vous m'avez laissé le choix de mes remarquables interprètes. Je n'ai que des remerciements à vous adresser.

« On a trouvé que le cadre de votre scène était un peu grand pour ma pièce et qu'il n'était pas facile à remplir. Il m'a semblé, par la suite, que votre salle était encore plus difficile à combler.

« Et maintenant, mon cher ami, si vous le voulez bien, disons deux mots de l'avenir. J'ai l'intention de donner tous les vingt-huit ans une pièce nouvelle dans votre beau Théâtre de Paris. La prochaine sera donc jouée en 1963 — et je veux espérer que, suivant l'usage, cette troisième pièce restera sur l'affiche deux fois plus longtemps que la deuxième, c'est-à-dire pendant trente-six jours.

« La pièce suivante sera créée en 1991.

« Et si Dieu me prête vie, j'aurai peut-être un jour une centième chez vous !

« Votre ami,

« Sacha Guitry. »

Vaniteux, vous, Sacha ?
On ne peut pas le croire.

*

Après le succès de *Nono*, Sacha avait sans doute voulu être pris au sérieux en écrivant *La Clef.* C'est

102

toujours une faute grave que de le vouloir si « on n'est pas né pour »...

« Il y a assez d'auteurs comme cela qui s'occupent des choses profondes, écrit-il, pour que je défende un peu le bonheur, la grâce et la légèreté... »

Cette volonté-là, Sacha l'a négligée à vingt-deux ans ! Péché de jeunesse. Il ne l'oubliera plus.

A l'entracte de cette *Clef*, entre le deuxième et le troisième acte, Georges Feydeau l'a rejoint en coulisses.

— Qu'est-ce qu'il y a ? demande Sacha.

— Rien. Je viens passer le troisième acte avec toi.

— Pourquoi ?

— Parce que. Je te dirai.

Georges Feydeau a deviné qu'on allait emboîter *La Clef* à la première occasion. Il lui apporte le secours de son amitié.

C'est précisément aux premières répliques du troisième acte que l'emboîtage commence. Un véritable emboîtage. Pas une cabale organisée. Un emboîtage « collectif », sincère. Celui qui débute par un rire inattendu mais que l'auteur interprète encore comme un effet comique qu'il n'espérait pas. Alors que nous, les acteurs, nous avons déjà compris ! Il est généralement suivi, ce rire, d'un murmure, d'un brouhaha léger mais qui ne demande qu'à s'amplifier, à se gonfler d'autres rires plus moqueurs qui alors ne permettent plus à personne de douter. Cette vague déferlante est parfois due à une réplique malheureuse, du style :

« Oh ! je devrais vous le dire depuis longtemps... »

— Oh oui... ! » fait la vague déferlante.

Ou encore :

« Pourquoi cherchez-vous à dissimuler à ce point votre ennui ? »

— « On ne dissimule pas ! On s'emm... » répond la déferlante.

Ces manifestations, de nos jours, sont extrêmement rares. Ce n'est pas que le théâtre a progressé. C'est que l'usage en est perdu...

A la minute où l'on se mit à siffler, Feydeau prit Sacha par l'épaule et d'une voix très douce lui dit :

— N'écoute pas cela... Allez... viens...

Et, tout honteux, vous avez quitté le théâtre, Sacha. Vous êtes parti avec Georges Feydeau. Vous êtes entrés tous les deux à la brasserie Pousset pour prendre « quelque chose ». Comme si pour vous cela n'était pas déjà fait ! Vous n'avez regardé personne. Vous vous sentiez coupable. Pourquoi éprouvons-nous toujours, au fond de nous-mêmes, acteurs et auteurs, ce sentiment de faute ces soirs de détresse-là ?

En y repensant trente ans plus tard dans votre livre de Mémoires, vous concluiez : « J'avais été applaudi (avec *Nono*), j'avais été sifflé (avec *La Clef*), je pouvais me considérer comme un véritable auteur dramatique. »

Être léger, visiblement, c'est démas-
quer les vaniteux. C'est inquiéter les
imposteurs. C'est confondre les méchants.
C'est opposer la grâce à la mauvaise
humeur. C'est donner en outre un
témoignage exquis de pudeur morale...

Les années passent. Un directeur avisé dont
Sacha parle avec reconnaissance lui demande une
pièce. Ce directeur avisé s'appelle Michel Mortier,
et tout naturellement il a baptisé son théâtre de son
prénom : Théâtre Michel ! Signe du destin ? C'est
au Michel de Saint-Pétersbourg que Lucien, jeune,
a connu ses plus grands triomphes. C'est là également que Sacha enfant a mis pour la première fois
ses petits pieds sur une scène. Pense-t-il alors à son
père malgré la rupture ? Ces cinq ou six premières
pièces, il avoue les avoir écrites en pensant à lui.
Sacha donne donc à Michel Mortier *Le Veilleur*

de nuit. Les ratages de l'acteur Sacha n'ont pas dissuadé Michel Mortier de l'engager. Car même sous le nom de Lorcey, le « fils Guitry » attire ! Tout le monde connaît maintenant la véritable filiation. Le fils Guitry, qu'il soit Lorcey ou Guitry, c'est une affiche ! Sacha répète donc son *Veilleur de nuit* depuis huit jours quand un ami de son père vient prier Michel Mortier, de la part de Lucien, de renoncer à ce projet ! Dur, dur...

Sacha était-il si mauvais que Mortier ait pris ce prétexte ? Sacha ne cherchera jamais à élucider le mystère. Mais Mortier ne veut pas contrarier le grand Lucien Guitry, et la pièce sera créée par un autre comédien, Félix Galipaux, qui au soir de la générale perd sa mère ! Pas de chance. Pourtant *Le Veilleur de nuit* va être un succès, mais pas pour les raisons que l'on peut croire.

Bien qu'elle soit, à l'évidence, la meilleure pièce de Sacha depuis *Nono*, elle marche plus ou moins bien... jusqu'au jour où le roi Édouard VII, en visite officielle à Paris, manifeste le désir d'assister — sans qu'on sache pourquoi — à la représentation. On aménage donc une loge avec drapeaux français et britannique afin que toute la salle sache que le roi d'Angleterre est présent. Dès 8 heures du soir, un petit orchestre répète le « God save the King »...

Étrange coïncidence, ce soir-là, le roi des Belges se présente lui aussi au théâtre — mais incognito —

pour assister à la pièce ! Léopold II s'assied donc discrètement dans une autre loge, face aux drapeaux français et britannique, pensant que c'est peut-être une décoration nécessaire au spectacle. Tout à coup il entend un « Vive le roi ! » prononcé par Michel Mortier. « Vive le roi ! » qui est suivi d'un « God save the King » retentissant ! Surpris par cette manifestation imprévue, mais néanmoins souriant, le roi des Belges se lève alors... tout en se demandant pourquoi on lui joue l'hymne anglais : « Ah ! ces Français... toujours facétieux... » Mais il se demande surtout pourquoi la salle entière lui tourne le dos ! C'est alors que le roi Édouard VII pénètre dans le théâtre ! Aussi surpris l'un que l'autre, les deux rois s'adressent un petit signe amical et s'assoient chacun de son côté, en cousins bien élevés ! La représentation peut commencer. Ivre de bonheur, Michel Mortier parcourt les couloirs de son théâtre en clamant à tous les échos : « J'ai deux rois, j'ai deux rois ! » Échos qui se retrouvent dans la presse du lendemain.

Et dès ce lendemain — publicité oblige —, le Théâtre Michel fait salle comble. Il en sera ainsi jusqu'à la fin des représentations. Sacha, ce jour-là, commencera à aimer les rois. Pour lui, qui ignore tout de la politique et qui n'en voudra jamais rien savoir, c'est un engagement qui ne l'engagera jamais à rien.

C'est à Michel Mortier, racontait Sacha, qu'on

doit un des plus beaux mots de la profession de directeur de théâtre.

En 1910, des inondations catastrophiques ravagent la France. La Seine quitte son lit. On circule en barque dans Paris : Chaussée d'Antin, autour de l'Opéra, gare Saint-Lazare ! A la Concorde ! Les députés sont obligés de regagner leurs sièges à la Chambre... en bateau ! On pêche à la ligne gare d'Orsay. Bien des théâtres sont contraints à la fermeture. Le Théâtre Michel — celui de Mortier — est dans ce cas. Or il connaît un véritable triomphe avec la première pièce d'un jeune auteur qui très vite va faire parler de lui : Édouard Bourdet *. Ironie du sort, cette pièce s'appelle *Le Rubicon*. Et tous les soirs une salle comble le franchit avec allégresse.

Dans l'obligation de fermer son théâtre à cause de ces inondations désastreuses, Mortier n'a qu'un seul réflexe : « Me faire ça à moi ! »

Inconscience ou égocentrisme ? Ce sont ces excès qui faisaient et qui font le charme des directeurs de théâtre. Peut-être font-ils aussi celui des acteurs. Telle cette autre remarque d'un autre directeur, fâché à mort avec un acteur célébrissime :

— Jamais, au grand jamais, cet homme ne remet-

---

* Auteur de *Fric-Frac*, *Les Temps difficiles*, *Le Sexe faible*, *La Prisonnière*, administrateur de la Comédie-Française entre 1936 et 1940, Édouard Bourdet reste un des grands auteurs dramatiques de la première moitié du XXᵉ siècle.

tra les pieds dans mon théâtre ! *(Un temps.)* Sauf si j'ai besoin de lui !

Ou bien encore cette observation prudente d'un directeur chevronné face aux chaleureux bravos et aux excès d'une générale « triomphale »...

— Pourvu que ce triomphe soit suivi d'un succès !

*

Qui, de Sacha ou de Lucien, a eu besoin le premier de l'autre ? Les deux ensemble assurément. Mais il fallait qu'un premier pas fût fait.

Qui pouvait provoquer leur réconciliation après tant d'années de brouille et d'éloignement ?

Le théâtre, évidemment.

Ce théâtre (et une femme) qui les avait séparés va enfin les réunir, grâce à un personnage de fiction auquel l'un et l'autre ne pouvaient que rendre les armes : DEBURAU.

Les acteurs vivent en les jouant tous les excès de leurs personnages. Les auteurs dramatiques les créent. Ils les vivent aussi en les créant.

Comment auraient-ils pu, l'un et l'autre, échapper à ces paroxysmes ? Trop-plein d'humeur, de gravité ou de sensibilité, extériorisation excessive de sentiments... aucun d'eux n'échappait — aucun de nous n'échappe — à cette sorte de déformation professionnelle. D'autant que, à eux deux, Lucien et Sacha étaient « LE THÉÂTRE » !

Sacha cite Montesquieu : « La gravité est le bonheur des imbéciles », et on peut le croire, ajoute-t-il, car « Montesquieu était justement le contraire d'un imbécile ». Ni Sacha ni Lucien n'étaient des imbéciles mais ils vivaient, en acteurs, ces mêmes excès que nous vivons... et qui nous font vivre.

De s'être pris gravement au sérieux un jour les avait privés l'un de l'autre pendant treize années ! Il était temps d'y porter remède. L'orgueil — seul — prolongeait cette stupide séparation.

Ils ne savaient plus très bien comment se revoir. Par bonheur Deburau allait y mettre bon ordre.

Après s'être retrouvés le 7 mars 1918, ils ne parviendront plus à se quitter ! Avec tous deux le même enchantement, la même volonté de rattraper le temps perdu.

Ils ne resteront plus alors six heures sans se téléphoner,

douze heures sans se voir,

vingt-quatre heures sans s'écrire.

Là encore, attitude tout aussi excessive ! A moins que dans leur inconscient ne se nichât le sentiment plus ou moins clair qu'ils n'auraient que sept années à vivre ces heures-là.

*

Sacha avait grandi. C'est Lucien qui, le premier, craque. Un peu d'état normal en somme.

Et, là aussi,... cherchons la femme !

Un obstacle sérieux à cette réconciliation n'existe plus. Charlotte a laissé sa place — ô bien involontairement — à Yvonne ! Charlotte trompe imprudemment Sacha sans penser une seconde que Sacha a posé un œil ardent sur une certaine Yvonne Wigniolle, dès la première minute où il l'a rencontrée... dans une loge de théâtre, bien entendu.

Se reposant dans son jardin un jour... de printemps (oui, bien sûr c'est facile. Mais c'est d'autant plus tentant que cela s'est passé à cette saison), se reposant donc un jour de printemps dans un fauteuil si profond qu'il est entièrement dissimulé au regard, Sacha entend une voix mâle lui susurrer en *ré* dièse :

— Tu es seule, ma chérie ?

Sacha se redresse.

— Non... Charlotte est là aussi. Mais pourquoi m'appelles-tu « ma chérie » ?

Francell, le beau ténor vedette de l'Opéra, se mord alors les lèvres : « Pris, quel malheur ! »

Sacha est contraint de se rendre à l'évidence : il est cocu. Et par un ténor !

Sacha, cocu ! C'est un choc ! Le premier. Ce ne sera pas le dernier. Usant de cette contrariété personnelle pour mettre à profit ses théories, « c'est

avec nos drames que nous écrivons nos comédies »,
il va recopier très exactement la même scène dans
ce *Jean de La Fontaine* qu'il vient de commencer et
que joueront — pour la dernière fois avec lui —
Charlotte Lysès et — pour la première — Yvonne
Printemps qui tient dans la pièce le rôle de
Mademoiselle Certain. Bonheur de créer pour
Sacha. Mais l'humiliation n'en est pas moins vive.
Cela aussi... c'est certain.

Le temps a passé. Une femme va s'en aller. Une
autre arrive.

Et quelle autre !

Comment ne pas être persuadé que ce passage de
Charlotte à Yvonne encourage la curiosité de
Lucien et le pousse à oublier un désaccord qui n'a
plus aucune raison d'être. Le 7 mars 1918, un
dimanche en matinée, il assiste à la représentation
de *Deburau* que joue son fils avec Yvonne. Et il
rentre chez lui, au Champ-de-Mars, très bouleversé.

Deburau lui fait revivre les années de Saint-
Pétersbourg et surtout cette pantomime qu'ils ont
jouée ensemble, Sacha et lui. Aucun des deux, pas
plus le père que le fils, ne peut avoir oublié.

Charlotte n'est plus là, Lucien est revenu...

Au lendemain de cette matinée, Sacha reçoit des
mains de Tristan Bernard, qui a souvent tenté de les
réconcilier, une lettre de son père : « Viens déjeuner
demain. Viens *seul* ou... viens avec elle. Venez donc
tous les deux ! » Sacha arrive seul chez son père

dans l'hôtel du Champ-de-Mars. Ils restent tous les deux longuement embrassés, et Lucien laisse échapper :

— Pendant que tu jouais hier... je te revoyais à cinq ans dans mes bras...

Sacha doit faire un effort pour répondre et ne pas pleurer. Lui aussi a eu la même vision tandis qu'il donnait le soir sur scène la réplique à son fils de théâtre.

— Quand j'ai appris que tu étais dans la salle, je me suis revu... moi aussi, à Saint-Pétersbourg... dans mon petit costume de Pierrot.

Dix minutes plus tard — elle attendait dans la voiture —, Yvonne Printemps les rejoint. Ils déjeunent tous les trois. En sortant de table, Lucien dit à Sacha :

— Fais-moi une pièce.

Et Sacha lui répond :

— Elle est déjà commencée...

Et c'est presque vrai.

*

L'idée d'écrire pour Lucien n'est pas pour Sacha une idée neuve. Déjà il avait pensé à lui en écrivant *Le Veilleur de nuit*. Il savait bien que la seule présence de son père aurait pu sauver certaines de ses autres œuvres d'une carrière précaire.

Un sujet difficile à maîtriser le taquinait depuis

longtemps. Mais pour le réaliser, il lui fallait un grand acteur. L'idée, c'était d'écrire quelque chose sur Pasteur...

Le grand acteur, il venait de le trouver... en retrouvant papa.

Il ne restait plus qu'à prendre une plume et du papier pour développer l'idée.

« Le seul fait d'écrire pour un grand comédien donne parfois des possibilités auxquelles les auteurs n'avaient pas immédiatement songé. »

Cette marque de gratitude envers les acteurs — modestie rarissime chez un auteur dramatique, je peux en jurer — est de vous, Sacha. Et je sais que vous aimiez bien les acteurs. Vous le leur avez prouvé maintes fois. Ils vous en gardent beaucoup de reconnaissance. Car si, en jouant vos pièces ils vous redonnent vie, ils reçoivent en échange la meilleure part du succès. Tout comme votre père marquant de son talent le personnage de Pasteur et qui longtemps vous assurera de sa gratitude, nous vous sommes redevables, acteurs et directeurs, de la bonne marche depuis de longues années de certains des plus grands théâtres de Paris.

Il est vrai que ni les uns ni les autres, Lucien, Sacha ou... PASTEUR, n'étaient — en ce temps-là — des personnages ordinaires !

Et à vous seul, Sacha — acteur, auteur et cinéaste — vous allez devenir un champion toutes catégories.

*C'est avant le dernier acte que
le public se demande « comment ça
finira ».*

*Moi c'est après ce dernier acte que
souvent je me le demande, avec inquié-
tude.*

L'acteur parle et agit. L'auteur pense et écrit.
L'auteur fait l'enfant. L'acteur l'élève.
Jouer la comédie c'est un plaisir charnel : celui de conquérir.
Écrire des pièces, c'est un pouvoir magique : celui de « donner naissance à ».
Derrière le masque de son personnage, l'acteur, par sa conviction, s'impose et touche un public. Il en éprouve une joie légitime, celle de dominer.
Solitaire, l'auteur dramatique assemble des faits. Il crée des situations — dans la joie et la douleur —, il donne la vie. Il en éprouve alors le secret orgueil, la légitime fierté.

Dès lors on peut comprendre l'émotion exceptionnelle qui vous a étreints tous deux, Lucien et vous, Sacha, quand, *ensemble*, vous avez donné naissance, le 23 janvier 1919 au Théâtre du Vaudeville, à... *PASTEUR* !

Soirée singulière, triomphale pour l'acteur, inoubliable pour l'auteur. D'autant plus que l'auteur Sacha était devenu acteur depuis quelques années déjà. Et que l'acteur Lucien s'était essayé à l'écriture. Peut-être pour se convaincre qu'il est tout aussi capable de créer que son fils. Peut-être aussi pour explorer l'univers mystérieux de la création. Soyons francs : quel est l'acteur qui n'envie de jouer ce rôle et dès lors s'y emploie ? Lucien a écrit, deux ans auparavant, un *Grand-Père*, qui n'a reçu qu'un accueil fort mitigé. Et en 1918, autre tentative, un *Larchevêque et ses fils*, qui a été, disons-le, un bide royal.

Alors que la guerre continue, s'éternise même, c'est dans une cave où les bombardements sur Paris l'ont contraint de se réfugier que Sacha a commencé à penser à *Pasteur*. Il a découvert une biographie de Vallery-Radot sur le grand savant. L'idée a germé dans sa tête. Elle le taquine. Mais le choix de l'interprète est essentiel. Il rend l'opération plus que délicate. Qui pourrait s'intéresser à une pièce mettant en scène un personnage aussi peu théâtral que possible ? Une pièce dont la seule situation dramatique, le seul sujet, porte sur l'inoculation du sérum antirabique ! Et de surcroît une pièce sans femme !

Pour un « auteur léger », le risque est grand. Est-ce pour faire oublier à Lucien ses tentatives ratées de *Grand-Père* et de *Larchevêque et ses fils* que bouillonne alors la verve créatrice de Sacha ? Depuis le 8 mars 1918, au lendemain de la matinée de *Deburau* et de leur réconciliation si ardemment désirée par l'un et l'autre, il sait qui peut être son interprète. Papa est revenu. Et Pasteur... c'est papa ! Quant à papa, le succès de « l'opération Pasteur », dont il ne doute d'ailleurs pas, n'est pas pour lui essentiel.

Lucien a retrouvé son fils. Le reste... ne semble pas le soucier.

Pourtant, dès la première lecture, chacun s'est délecté. Lucien et Sacha ont humé, avec gourmandise, ce parfum si particulier qui permet aux acteurs d'espérer une réussite future. De réplique en réplique, Lucien prend possession du rôle. Il occupe le territoire avec une jubilation et une justesse confondantes. Les mots prennent déjà tout leur sens. Les silences deviennent des sentiments.

— C'est dans les silences que je vous trouve admirable, lui avait dit un jour une spectatrice.

— Parce que les silences sont de moi, avait alors répondu Lucien en souriant.

Dès cette première lecture, Sacha voit vivre son personnage. C'est toujours si important la première lecture d'une pièce. Tout se dessine déjà. On se retrouve autour d'une table. Rien ne vient alors gêner notre concentration. On n'a pas à bouger le personnage. On n'a pas à jouer ! Pas encore. On n'a que le souci d'aller à sa rencontre... « pour voir ». L'auteur peut aussi éventuellement apporter quelques modifications à son texte. Couper par-ci, ajouter par-là. Bref ! On découvre à ces minutes-là tout ce que le visage et le sourire d'un beau bébé, après son premier bain, laissent augurer aux parents de son avenir !

Viennent alors les répétitions. Jour après jour, le travail quotidien permet d'établir et de coordonner les intentions, les déplacements des personnages avec tout un ensemble de facteurs — inconciliables au début —, les décors, les meubles, les costumes, les accessoires qui peu à peu se mettent en place — en harmonie — pour devenir cette chorégraphie, plus ou moins visible, qu'on appelle la mise en scène. « Et chacun au cours de ce travail put en éprouver le recueillement », écrira Lucien quelques années plus tard. Jusqu'au jour de sa mort, il parlera de ces journées d'exception avec émotion. Même si certaines représentations, qu'il raconte, lui permettront de retrouver parfois son allégresse coutumière. Lucien, pas plus que Sacha, ne perd jamais son sens de l'humour : « Barral a fait ma joie samedi (c'est l'acteur qui joue le savant, interpellant Pasteur de la salle !). A peine s'est-il levé de son fauteuil d'orchestre qu'il a perdu une partie de son dentier ! Celui qui lui permet de prononcer les " s ". Il a plongé sous les sièges pour le retrouver,

tout en disant son texte. Il m'a alors appelé
" Mon-ieu Pâteur ", et il traitait de " pontannée " la
fameuse " généraïon ". Par bonheur le soir même,
la balayeuse a retrouvé le dentier, Barral ses " s ", et
le dimanche en matinée, j'ai eu droit à des " Monsieur Passteur " comme s'il en pleuvait ! »

Cette dernière image est parfaitement réaliste : on
rapporte que Barral, comme beaucoup d'acteurs,
« postillonnait » énormément en scène.

Sacha, de votre côté, vous évoquez vous aussi un
souvenir charmant. Mme Vallery-Radot, fille de
l'illustre savant, assistait aux ultimes répétitions en
costume, de celles qui précèdent la générale. Quand
le rideau se leva sur le premier acte, à l'entrée en
scène de Lucien Guitry, elle murmura, frappée par
la ressemblance :

— Oh... c'est papa.

Et vous avez répondu tout naturellement :

— Oui... c'est papa.

Vous vous étiez tous deux laissé prendre au jeu.
Tant l'image de votre père correspondait au visage
de Pasteur.

Et ce fut la répétition générale...

Au moment traditionnel des saluts, où en ce
temps-là on annonçait le nom de l'auteur — usage
hélas perdu —, votre père s'avança vers la rampe.

— Mesdames, messieurs, à l'instant de vous dire
le nom de l'auteur de la pièce que nous avons eu
l'honneur de jouer devant vous ce soir, je me sens

119

pris d'une émotion que je vous supplie de comprendre et... d'excuser...

Et là, il craqua. Le grand Lucien Guitry n'arrivait plus à articuler un seul mot, tant sa gorge se serrait. Il y eut un long silence. Puis les applaudissements éclatèrent. Lucien se dirigea alors lentement vers le côté cour du théâtre. Il tendit le bras vers la coulisse. Sacha, vous en êtes sorti. Votre père, dans le silence à nouveau rétabli, murmura : « Permettez-moi de vous le présenter... »

Ah ! Comme j'aurais voulu voir votre émotion à tous deux.

Plus de vingt rappels consacrèrent cette extraordinaire soirée. Et pourtant Lucien Guitry n'aimait pas ce cérémonial des rappels. Il s'y conformait toujours sans plaisir. Souvent même, il faisait signe au régisseur d'en abréger le nombre. Pour lui, comme pour beaucoup d'entre nous, ce qui comptait c'était l'accueil, l'attention du public *pendant* la représentation. Le reste n'était qu'un usage, un peu conventionnel.

Ce soir-là pourtant, il reçut en plein cœur cette manifestation d'amitié de la salle entière. Comme s'il tenait son fils entre ses bras.

Plus tard, il écrira : « Ce fut la plus belle soirée de ma vie. J'avais pris la meilleure place pour y assister. On me surprendrait en me signalant une seconde de cette soirée dont je n'aurais pas profité plus que tout autre... »

Il est bien vrai que vivre en scène de semblables minutes, c'est recevoir mieux que personne la ferveur d'une salle... surtout quand la pièce est bien accueillie ! Dans le cas contraire... la souffrance est, elle aussi, puissamment ressentie.

La pièce était-elle bonne ? Bien difficile de le dire. Mais il est possible que *Pasteur* — pièce vérité — ait marqué un tournant dans la dramaturgie française, ainsi que l'indique Lucien Guitry. « La littérature avait fait son temps au théâtre », disait-il. D'autant que Sacha incorporait dans cette pièce — tout à fait singulière dans son œuvre — des phrases entières prononcées par Pasteur, tant à l'Académie de médecine qu'à la Sorbonne ou ailleurs. Éléments de répliques pieusement répertoriés par lui et mêlés à son propre texte.

En voici un exemple. On pourra, au passage, en apprécier l'actualité.

« Depuis plus de vingt ans je souffre du dédain que la France a pour les grands travaux de la pensée ! Nous payons encore les fautes de Marat ! Souvenez-vous de ce que Lagrange disait après la mort de Lavoisier sur l'échafaud... " *Il n'aura fallu qu'un moment pour faire tomber cette tête... et cent années peut-être ne suffiront pas pour en produire une semblable.* " Victime sans doute de son instabilité politique, la France n'a rien fait pour développer le progrès des sciences dans notre pays. Elle s'est contentée d'obéir à une impulsion reçue. Elle a vécu sur son passé, se croyant toujours plus grande par les découvertes de la science, parce qu'elle leur devait sa prospérité matérielle, mais ne s'apercevant pas qu'elle en laissait imprudemment tarir les sources alors que des nations voisines les rendaient fécondes par le travail, par des efforts et sacrifices sagement combinés. La France, toujours occupée de la recherche stérile de la meilleure forme de gouvernement, ne donnait qu'une attention distraite à ces établissements d'instruction supérieure. Depuis vingt ans je fais la guerre à la routine... Et ceux qui ne discutent pas mes idées, en haussant les épaules... m'écoutent d'une oreille distraite ! On parle de moi comme d'un illuminé. Que de gens ont dû se décourager, mon Dieu ! Comme il faut aimer son pays pour avoir la force d'en supporter les faiblesses... ! »

« Aimer des défauts, c'est l'amour », disait Sacha. Amusez-vous lecteurs, si vous le voulez, à distinguer sa part et celle de Pasteur dans cette diatribe lancée par le grand savant devant ses élèves le jour de la déclaration de la guerre de 1870.

Mais pour y parvenir plus sûrement, il vous sera sans doute indispensable de relire la pièce. Je n'ose vous y contraindre.

C'est par amour pour son père que Sacha l'avait écrite. Elle était tout autant une respectueuse biographie de Pasteur qu'une œuvre dramatique. Mais en ces temps difficiles où les horreurs de la guerre de 1914 étaient encore si totalement présentes dans l'esprit des Français, elle s'achevait par une scène où Pasteur proclamait sa foi en l'avenir, si nécessaire à l'édification d'un monde meilleur. « *Je crois invinciblement que la science et la paix triompheront de l'ignorance et de la guerre, et que les peuples s'entendront non pour détruire mais pour édifier.* »

Quelle que soit la qualité de la pensée, cette dernière réplique prouve une fois encore que le théâtre ne peut prétendre à modifier le comportement de l'homme, mais qu'il peut en être — Sacha l'écrira plus tard et c'est la leçon de Molière — le peintre scrupuleux.

En 1935, dix ans après la mort de son père, Sacha reprend le rôle de Pasteur au cinéma, marquant ainsi ses débuts de réalisateur. Sa ressemblance avec Lucien est hallucinante. Pendant les années qui précéderont une autre guerre, on projettera le film devant les enfants des écoles, avec le même texte, les mêmes mots, le même credo...

Et le 2 septembre 1939, la guerre éclate.

*

En guise de conclusion (provisoire) à cette évocation de Pasteur, on pouvait lire dans *Le Figaro* du 27 janvier 2001, à l'aube d'un XXIe siècle de toutes les espérances, sous le titre « Le gâchis de la recherche française » :

« Un mal insidieux frappe les jeunes chercheurs qui éprouvent de grandes difficultés à faire leur chemin dans des organismes aux règles inadaptées et trop rigides. Ils sont nombreux à se laisser séduire par les propositions de l'étranger. Surtout aux États-Unis... Les crédits de fonctionnement des laboratoires stagnent depuis dix ans... contrairement à ce qui se passe en Allemagne et en Grande-Bretagne. La France ne s'est pas donné les moyens de prendre la relève... nous sommes en train de perdre une génération de jeunes chercheurs de talent. »

« ... Plus ça change, et plus c'est la même chose », écrivait déjà Alphonse Karr en 1875.

Cent trente années après Pasteur, cinquante après le rappel de Guitry, et quelques décennies après l'observation d'un manuel scolaire de littérature, est-ce que « les habitués du Boulevard peu cultivés » ne peuvent pas trouver, dans le théâtre de Sacha, des idées concernant l'homme et la société ?

Tout ce que je fais tourne en littéra-
ture. C'est une roue qui m'entraîne...
qui m'entraîne... Si un jour j'avais des
puces, je ferais une pièce sur les puces.

Est-ce la réconciliation avec son père qui donne à l'imagination de Sacha une ardeur renouvelée ? Il n'en a jamais eu besoin. Mais on pourrait le croire en considérant ce qu'il écrit, et ce qu'il crée, *en un an,* entre le 23 janvier 1919 et le 21 janvier 1920 ! Sachant — il n'est pas inutile de le redire — qu'à partir du moment où elles sont écrites il faut les répéter ces pièces, avant de pouvoir les jouer !

Le 23 janvier, création de *Pasteur.*

Le 19 avril, création du *Mari, la Femme et l'Amant.*

Le 8 octobre, création de *Mon père avait raison.*

Le 21 janvier 1920, création de *Béranger.*

Soit quatorze actes et un prologue, écrits, répétés et joués en trois cent soixante-cinq jours !

C'est absolument stupéfiant.

Et entre-temps, si l'on ose dire, Sacha se marie ! Le 10 avril 1919, soit neuf jours avant la générale du *Mari, la Femme et l'Amant*, il épouse Yvonne, à la mairie du 16ᵉ arrondissement. Quelle santé !

Les témoins du mariage sont : Sarah Bernhardt, Lucien Guitry, Tristan Bernard, Hertz, le directeur du Théâtre de la Porte-Saint-Martin, et Georges Feydeau qui arrive en retard. La tête du plus génial des vaudevillistes est déjà dans les nuages. Il en mourra, hélas, deux ans plus tard.

Mais plutôt que d'évoquer cette cérémonie à la mairie du 16ᵉ arrondissement où Yvonne disparaît sous un immense chapeau à plumes et Sarah sous le chinchilla, permettez-moi, mesdames et messieurs, d'ouvrir une parenthèse à propos de Hertz. Je la refermerai très vite, rassurez-vous, « à cause des courants d'air », comme le recommandait Alphonse Allais. Elle permet de confirmer les rapports pittoresques des directeurs et des acteurs de ce temps-là, déjà évoqués précédemment.

Ce sacré Hertz — figure symbolique —, qui a abrité dans son théâtre Lucien et Sacha, a promis à un acteur d'honorer au plus vite le chèque en bois qu'il vient de lui remettre.

— Je vous donne ma parole d'honneur.

L'acteur le regarde, un peu narquois.

— J'aimerais mieux une promesse vague ! répond-il.

Avant d'être directeur, Hertz avait, hélas, joué lui aussi la comédie. Un soir de 1917, il confie à Lucien Guitry :

— Il y a trente ans, jour pour jour, je jouais à Reims.

— Ah ! Déjà ville martyre, soupire dans un grand élan de pitié Lucien Guitry.

Quelques années plus tard, Lucien et Sacha vont se fâcher avec Hertz, et Sacha en colère s'écrie :

— Je n'irai pas à votre enterrement !

— Oh ! Sacha ! proteste aussitôt Lucien, tu n'as pas le droit de parler ainsi.

Il se tourne alors vers Hertz :

— Moi, j'irai volontiers, cher Hertz.

Lucien prétendait d'ailleurs qu'un jour Deibler, le bourreau, l'homme à la guillotine, exécuteur des hautes œuvres, lui avait dit en parlant de Hertz :

— Il a une tête qui me revient...

Voilà pour Hertz. Fermons la parenthèse.

Donc, en ce beau jour du 10 avril 1919, Sacha épouse Yvonne. Elle a vingt-cinq ans. Il en a trente-quatre. Elle a débuté à quatorze ans dans une revue des Folies-Bergère. Elle y singeait Sacha précisément... dans un sketch caricature intitulé *MOÂ MOÂ*. Elle aurait voulu être acrobate de cirque, elle se contente ce jour-là de devenir Mme Sacha Guitry. Pour l'heure cela satisfait pleinement ses ambitions. Très vite cette Yvonne, née Wigniolle à Montmorency en 1894, douée pour toutes sortes d'acrobaties dont, au lit, Sacha se régalera souvent, va se faire un nom, un très grand nom : Yvonne Printemps. En lui passant la bague au doigt, Sacha va faire d'Yvonne une comédienne. Elle va lui donner, de son côté, le goût de la musique tant elle chante à ravir. Et elle possède, elle aussi, le don du bonheur. Ils vont donc créer et jouer ensemble *Le Mari, la Femme et l'Amant*. Elle est la femme. Il est l'amant. Archétype de ces états qui, paraît-il, au dire des livres scolaires, ne relèvent pas de l'observation des humains et des sociétés.

Est-ce pour favoriser l'événement, exciter le désir du public provoqué par ce choc publicitaire ? Sacha laisse entendre qu'il a écrit les deux premiers actes en deux jours et que la pièce a été répétée en huit. C'est sans doute exagéré mais Sacha est excessif, on le sait. Et avec ce diable d'homme, surdoué protégé des dieux du théâtre, tout est possible. Depuis Molière, on sait aussi que « le temps ne fait rien à l'affaire ». Le mari, tout autant que la femme ou l'amant, recueille les suffrages du public ainsi que l'ovation d'une salle de générale prête à rire dès le rideau levé. On parle de Becque et de *La Parisienne,* grâce sans doute à Yvonne qui rencontre là son premier grand succès personnel : c'est le premier miracle de la représentation. Le second étant que, deux mois et demi après la création de *Pasteur,* pièce aux accents graves et patriotiques, ce retour de Sacha vers la légèreté, accueilli avec crainte puisque bâclé semble-t-il en quelques jours, surprend une fois de plus par sa vivacité, son style et son écriture, autour d'un thème qu'il a déjà abordé avec bonheur : la jalousie.

Certes on peut évoquer Becque, mais c'est plutôt celui de *La Navette* tant certaines répliques prononcées par le personnage de Jeannine — Yvonne Printemps — ressemblent à celle, immortelle, que Becque a mise dans la bouche d'Antonia, la petite cocotte de *La Navette* au moment où elle chasse avec une gentille fermeté un premier amant.

— J'ai été folle de ce garçon-là. Et maintenant je ne peux plus le voir. Comme les hommes changent...

*

Arrive alors l'événement essentiel de cette année 1919. Essentiel pour les deux monstres sacrés que sont Lucien et Sacha : leur réconciliation, due au miracle *Deburau*, et parachevée par *Pasteur*. La passion dans laquelle ils nous entraînent tous deux, avec maintenant Yvonne pour guide, pourrait faire oublier que, pendant ce temps-là, la France a vécu l'horreur ignoble de la guerre. Donc l'événement essentiel de cette année 1919, après l'armistice du 11 novembre 1918, c'est aussi et surtout l'arrivée en janvier du président américain Wilson, et l'ouverture, sous ses auspices, de la conférence de la Paix à Versailles, dès le mois de janvier. Elle donnera naissance à un nouveau découpage du monde et — on le sait maintenant — à la Seconde Guerre mondiale de 1939. Gagner une guerre — si l'on peut employer ce terme faisant abstraction des atrocités et des morts — n'a pas pour corollaire obligé de gagner la paix.

Elle a éclaté le 3 août 1914, cette guerre. Les Allemands envahissent la Belgique le 2 septembre, et le gouvernement français se retrouve à Bordeaux ! Mais la France arrête l'invasion sur la Marne. Un journal titre d'ailleurs : « Les Allemands vaincus par le champagne français » [*sic*]. Parmi les prisonniers, certains portent en effet toutes les marques d'une immense beuverie. Et dans les caves de la montagne de Reims, on découvre de très nombreux Allemands... ivres morts ! Il est dommage que nous ayons manqué de bouteilles, la guerre n'aurait peut-être pas duré quatre ans ! Cette relation — authentique — annonce la course vers la mer des armées allemandes, tandis que la Comédie-Française annonce, elle, la reprise du *Voyage de Monsieur Perrichon*. C'est d'ailleurs la seule salle de spectacle ouverte en août 1914, et soixante spectateurs assistent en tout et pour tout à ce *Voyage de Monsieur Perrichon*, dont deux Japonais (déjà) ! Le 7 septembre, le préfet de la Seine fait appel à des hommes sachant traire les vaches pour le troupeau du bois de Boulogne à Paris [*sic*] ! Tandis que Péguy et Alain-Fournier trouvent la mort dans la bataille de la Marne les 5 et 22 septembre.

En 1915, création du Théâtre aux Armées. Des troupes dirigées par Émile Fabre, futur administrateur de la Comédie-Française, et dans lesquelles s'inscrit un certain Charles Dullin *, se produisent sur le front de Lorraine. La guerre s'installe, hélas, dans les esprits et dans le temps. On joue *Patrie* à la Comédie-Française, *Les Surprises du divorce* au Vaudeville, *Les Huns et les autres* (!) au Théâtre Firmin-Gémier, et aux Bouffes-Parisiens, *La Jalousie* de Sacha Guitry. Cette pièce est analysée comme rendant compte « des affres d'un mari qui pousse sa femme dans les bras d'un bellâtre et ne se sent rassuré que quand il est cocu ». C'est un peu simplet mais grâce à Dieu la Comédie-Française va inscrire *La Jalousie* — nous le savons — à son répertoire, lui conférant ainsi ses lettres de noblesse. C'est au Théâtre aux Armées que, ne sachant plus quoi chanter après plus d'une heure de présence sur scène, le comique troupier Bach, qui a lancé anonymement et sans aucune réaction *La Madelon* en

---

* Né en 1885, comme Sacha Guitry, il crée et dirige le théâtre de l'Atelier. Charles Dullin reste dans le souvenir des acteurs comme un des maîtres les plus éminents du théâtre du XXᵉ siècle.

1913, se met à en pousser les couplets. Trois semaines plus tard, la France entière entonne le refrain. Et pour longtemps...

En 1916, la France reprend après Douaumont le fort de Vaux. L'armée allemande a perdu vingt mille hommes au cours de cette bataille. On ne mentionne pas le nombre de tués français. C'est mieux pour le moral. Le secrétaire d'État aux Beaux-Arts, pour ne pas être en reste, décide que le public ne sera admis dans les théâtres qu'en tenue de ville ! « Dans les circonstances actuelles, dit l'arrêté, les toilettes riches et les fantaisies [sic] détonnent et choquent. L'habit et le smoking sont également proscrits. »

C'est d'ailleurs à la fin d'un de ces spectacles, où la sobriété est de rigueur, que, ayant annoncé la reprise de Douaumont, sous de frénétiques applaudissements, un acteur dont le nom est resté inconnu déclare en sortant de scène : « J'ai fait un triomphe ce soir... » Inconscience ou innocence, c'est inattendu, parfois, les réactions d'un acteur !

En 1917, des troubles éclatent en Russie. La révolution d'Octobre est en marche. La guerre sous-marine va se révéler pour les Allemands d'une redoutable efficacité. Le héros de l'aviation, l'homme aux trente victoires, Guynemer, meurt carbonisé dans son avion, abattu fin septembre. Yvonne va, un temps, le pleurer. On saura plus tard pourquoi. Les Américains arrivent... Le gouvernement anglais

envisage, « sous certaines conditions, l'établissement du peuple juif en Palestine, et affirme qu'il
fera de son mieux pour le faciliter »... Il ne parvien-
dra à faire de son mieux qu'en 1948, en quittant
les lieux. La guerre éclatera aussitôt entre les deux
communautés arabe et juive. Au théâtre, où « les
Français éprouvent le besoin de se distraire », les
pièces patriotiques ne rencontrent pas la faveur
escomptée. *Veillée d'armes* de Claude Farrère, pas
plus que *Le Cloître* de Verhaeren ne font courir les
foules. Seuls triomphent les Ballets russes. Quant
au *Grand-Père* de Lucien Guitry, c'est un bide
royal, on le sait. Peut-être est-ce déjà la création de
l'impôt sur le revenu qui provoque cette apathie.

1918. Formidable sursaut des armées allemandes
arrêtées à soixante-dix kilomètres de Paris. On envisage d'abandonner Verdun. Cent quarante mille
hommes sont tués au cours de cette seconde bataille
de la Marne. L'Allemagne s'effondre en septembre.
Tandis qu'à Lausanne on crée *L'Histoire du soldat*,
de Stravinski et Ramuz, ballade musicale destinée à
être lue, jouée et dansée. On ne parle pas beaucoup
de théâtre dans les gazettes en 1918. Pourtant,
Charlie Chaplin fête à sa manière la fin très proche
de la guerre avec *Charlot soldat*. Sacha joue *Deburau*
avec Yvonne... à quoi un certain dimanche de mars
papa Lucien va assister. Et enfin, le 11 novembre,
c'est l'armistice.

Ce bref rappel historique a pour seul but de

montrer que, face à l'indicible horreur des combats, face aux morts, aux drames et aux pleurs, la vie garde toujours ses droits et le théâtre sa raison d'être. Le rire devient une thérapie provisoire, un apaisement nécessaire, une respiration heureuse. Cela n'empêche pas de ressentir et de vivre avec la même émotion d'autres événements. Cet argument ne jouera nullement en faveur de Sacha vingt-cinq ans plus tard à la Libération.

Car où est-il dans tout cela, ce Sacha que l'on traite de lâche et d'« embusqué » ?

Réformé pour cause de rhumatismes articulaires et chroniques, il a failli mourir d'une congestion pulmonaire. On a même demandé à Régis Gignoux, courriériste du *Figaro,* d'écrire sa « nécro », tant on est persuadé en avril 1914 qu'il ne passera pas la nuit. Il n'a même pas pu assister aux représentations à la Comédie-Française d'un petit acte délicieux inspiré par sa scolarité déficiente et qu'il a écrit à la manière très réussie de Jules Renard : *Deux Couverts.* Il y est question d'un père attendant le retour de son fils après l'oral du baccalauréat, son fils recalé, naturellement. Le rôle a failli être créé par une dame dans la grande Maison de ce temps-là, sous prétexte qu'elle avait déjà joué Chérubin dans *Le Mariage de Figaro.*

Sacha, vous avez refusé et vous avez bien fait ! On a trouvé un jeune élève du Conservatoire, plus mâle, pour remplir la fonction ! J'ai eu le bonheur de jouer moi aussi, pour un gala de charité (très modeste), cet acte délicat, devant les « petits vieux » du Kremlin-Bicêtre ! J'avais dix-sept ans, et « mon » père, lui, l'âge de la majorité (vingt et un). Nous rigolions tous deux au cours des répétitions quand il me disait avec émotion : « Tu comprends " mon petit "... il faut travailler. » Mais le soir de la représentation nous nous sommes pris au jeu et nous avons tous deux pleuré comme des veaux. Bref ! Privé de théâtre pendant votre congestion pulmonaire et vos rhumatismes articulaires, vous tenez sur cet événement une sorte de journal. Et vous jugez ainsi de la maladie :

« Tâchez de ne pas dépasser les vingt et un jours réglementaires, car la patience des meilleurs amis est assez courte. Et vous auriez l'impression d'être délaissé. Vos parents eux-mêmes ne tarderaient pas à vous signifier un certain agacement. Et après le vingt-deuxième jour, vous verriez l'un de vos proches demander au médecin qui vient " pour vous " s'il ne pourrait pas lui donner " pour lui " un petit quelque chose qui le remonterait ! »

Plus tard vous écrirez : « Le rhumatisme préserve de la tuberculose... dit-on, c'est bien le seul avantage que je lui trouve ! » Ou bien encore, admirant la prodigieuse vitalité des femmes en voyage . « Les femmes, c'est comme les rhumatismes, ça se déplace ! »

C'est en octobre 1914, alors qu'il suit à Dax un

traitement sévère, que Sacha est avisé de se présenter devant le conseil de réforme. Cloué au lit, il ne peut se déplacer. Un matin, on frappe violemment à sa porte. Entrent un médecin major et un gendarme dont les visages ne témoignent d'aucune sympathie à son égard.

— Alors, s'exclame le major d'une voix brutale, c'est vous qui êtes trop malade pour pouvoir vous lever ?

— Oui, monsieur.

— Appelez-moi Monsieur le Major !

— Oui Monsieur le Major.

— Qu'est-ce que vous avez ?

— Des rhumatismes.

— Où cela ?

— Aux deux genoux, Monsieur le Major.

— Je ne serais pas fâché de me rendre compte.

Et d'un geste brusque — peut-être même un peu trop brusque —, le médecin major relève la couverture.

Quand il voit les deux genoux extrêmement enflés de Sacha, sa colère tombe soudainement, « comme on voit s'apaiser la tempête », raconte Sacha.

— Oh... dans quel état êtes-vous ! s'apitoie le major.

— Hélas, je suis dans cet état depuis le mois de mai, Monsieur le Major.

Et Sacha prie alors les deux visiteurs de s'asseoir, sentant que leur intérêt pour lui commence à s'éveiller. Il se met en devoir d'entreprendre le récit de ses souffrances aux deux hommes devenus soudain compatissants.

— Et dites-vous bien que cela n'est rien à côté de ce qu'il m'est donné d'endurer... depuis cinq ou six mois. Rien n'est comparable, messieurs, à la goutte.

— Vous avez la goutte ? A votre âge ?

— Mais oui, Monsieur le Major.

— Eh bien, figurez-vous que j'en suis atteint moi-même, répond le médecin major, et que j'en souffre cruellement.

Et il se met à parler à son tour de cette impression affreuse qu'on a d'avoir « l'orteil broyé par des tenailles » ou bien « dévoré par les rats ».

— Puis-je me permettre, Monsieur le Major, de vous demander quel traitement vous suivez quand une crise se déclare ?

— Je prends de l'aspirine à dose massive, répond le major.

— Eh bien... il y a mieux que cela !

Sacha lui nomme alors le seul produit qui l'ait jamais soulagé. Il lui en vante l'efficacité, l'infaillibilité même.

— Ahhh... ben dites donc, s'exclame le major, je voudrais bien noter cela tout de suite. Dites-moi donc le nom de votre médicament.

— Voulez-vous me permettre de vous indiquer également la meilleure façon de l'employer ?

— Mais comment donc... je vous en prie.

Sacha commence alors à rédiger : « Prendre un cachet au milieu des deux principaux repas. Jamais à jeun. Le prendre avec un demi-verre d'eau alcaline... »

Cinq minutes plus tard, ce médecin major aimable et distingué quitte la chambre de Sacha, en le remerciant, avec son gendarme et une ordonnance du rhumatisant dans la poche.

Voilà ce que peut obtenir un acteur sincère utilisant « dans le civil » la meilleure arme qui soit en sa possession pour vérifier à la ville comme à la scène l'efficacité de son talent : la conviction.

*

Donc, le 8 octobre, Sacha et Lucien créent ensemble *Mon père avait raison*. Cette pièce que l'on considère souvent comme le chef-d'œuvre de Sacha, c'est l'occasion qui leur est donnée à tous deux d'évoquer sur scène une grande part de ces conversations qu'ils n'ont pas pu avoir pendant les treize années qu'a duré leur séparation. Jouer le rôle de Pasteur écrit pour lui, par son fils, avait été pour Lucien une joie particulière. Échanger avec son père, au théâtre, des propos qu'il n'a pas pu lui tenir dans la vie est, et restera, pour Sacha un bonheur inégalé. Il fait dire à ce père qu'il admire tout ce que sa réflexion d'homme de trente-quatre ans lui inspire. Et tout y passe ! La mère, Renée de Pont-Jest, les femmes, les pères (*son* père) et la famille ! La famille dont il dira plus tard : « C'est à prendre ou à laisser ! » Seule complice, Yvonne, qui joue le petit rôle exquis de Loulou, « la femme », la petite femme traditionnelle de Sacha Guitry. Un Sacha qui va prendre soin plus tard de s'expliquer sur ce point, à propos de cette misogynie dont on l'a si souvent accusé.

— Entendons-nous bien. Lorsque je dis « parlons des femmes », il est bien évident que nous épargnons les jeunes filles... nous estimons les épouses... et nous respectons les mères ! Nous ne prenons de liberté qu'avec les autres...

Les autres, ce sont « les petites femmes » !

Nous sommes au théâtre. Et si Yvonne assiste à cette singulière réconciliation entre Sacha et Lucien (le plus souvent en coulisses car son rôle est modeste), le père, tout autant que le fils, mais, à la réflexion, le fils bien davantage que le père ont besoin d'un témoin plus essentiel encore, un témoin « sans lequel les choses ne seraient que ce qu'elles sont », un témoin sans lequel ils sont incapables d'exister : le public ! Ce public qui toujours paye d'avance. « On a tellement peur que vous refusiez de payer après », s'exclame Sacha en riant dans *Théâtre je t'adore*. Ce public, qu'il aime tant et qui le lui rend bien, ce public qui le lui rendra encore et toujours depuis cette création de 1919 jusqu'aux nombreuses reprises de la pièce (avec André Luguet dans les années 60, puis en 1978 avec Paul Meurisse, et vingt ans plus tard avec Jean-Claude Brialy). Ce public qui a réagi et réagira de la même manière aux répliques et aux questions que pose Charles (Sacha) à Adolphe (Lucien).

— Ne m'as-tu pas dit un jour que tu avais fait croire à maman que tu devenais sourd ?

— Si ! Dame... elle parlait tout le temps : de cette façon-là, j'ai eu un peu de paix.

— Mais lorsque plus tard tu es devenu réellement dur d'oreille... tu ne t'es pas dit que peut-être... tu étais puni ?

— Puni ? Ce n'est pas une punition. Tu crois que c'est un inconvénient d'être dur d'oreille ?

— Il me semble.

— Quelle erreur ! Une punition pour les autres, oui ! C'est pour les autres que c'est fatigant, ce n'est pas pour moi. Pour moi, c'est délicieux. Comme on sait qu'il faut me crier dans l'oreille tout ce qu'on a à me dire, on réfléchit avant de parler. C'est excellent pour tout le monde. Et puis... on est obligé de m'écouter, on ne peut pas m'interrompre, moi ! *Je n'entends pas.*

Rassurante thérapeutique pour tous ceux qui, dans une salle de théâtre, ou dans la vie, pourraient être un jour atteints de surdité. Et la scène continue, où les allusions à la mère de Sacha, à Charlotte et à son mariage avec Sacha — que Lucien a toujours réprouvé parce que prématuré — abondent :

— Tu n'as donc pas été heureux, toi ? demande Charles-Sacha à Adolphe-Lucien.

— Ah non !

— A cause de quoi ?

— A cause de ta mère.

— Maman ?

— Oui.

— Pourquoi ?

— Parce qu'elle pleurait tout le temps !

— Et pourquoi pleurait-elle ?

— Parce qu'elle n'était pas contente.

— Mais pourquoi est-ce qu'elle n'était pas contente ?

— A cause de ma conduite.

— Ah ! bon...

— Alors... tu comprends... Sensible comme je l'étais... ça me rendait malheureux de la voir pleurer comme ça.

— Quelqu'un qui ne serait pas ton fils pourrait te demander pourquoi tu avais cette conduite-là.

— Je lui répondrais : mon cher enfant, c'est parce qu'elle avait le même âge que moi.

— Tu le savais en l'épousant !

— Oui, seulement à cette époque-là nous étions jeunes. Ah ! ta pauvre maman c'était une brave femme, mais elle était ennuyeuse ! Enfin... c'est fini...

141

Près de vingt ans après la mort de sa mère, Sacha semble évoquer sur scène le calvaire de celle-ci avec Lucien à Saint-Pétersbourg, et Lucien semble, lui, y reconnaître ses torts. Ce pourrait être dramatique, mais c'est ce Sacha « excessivement léger » qui écrit. Le dialogue continue sur le même mode, comme une conversation de salon entre son père et lui.

Adolphe : *Les femmes, mon petit, il faut essayer de les tenir. Quand on ne peut pas les tenir, il faut les lâcher ! La lutte est inégale avec elles... Fais très attention ! Je t'avais dit que tu étais trop jeune quand tu t'es marié.*
Charles : *Nous avions le même âge.*
Adolphe : *Oui... c'est toujours la même chose et c'est magnifique quand on a vingt ans d'avoir le même âge, mais plus tard tu verras la différence qu'il y a entre un homme et une femme de cinquante ans ! D'abord les femmes n'ont pas d'âge : elles sont jeunes ou elles sont vieilles. Quand elles sont jeunes, elles nous trompent. Quand elles sont vieilles, elles ne veulent pas être trompées. Un homme ne se marie pas à dix-neuf ans, c'est idiot !*

Lectrices et lecteurs, il n'est évidemment pas question de vous obliger à relire toute la pièce. Mais au hasard de la cueillette, vous pouvez inscrire dans votre bréviaire personnel, à l'image de Sacha dans le sien, quelques formules de Charles-Lucien, écrites par Sacha.

— Si tu savais comme on a besoin de peu de chose pour être heureux.

— Quand tu auras mon âge, tu t'apercevras que tu n'étais pas fait pour la plupart des choses que *tu te seras cru obligé de faire toute ta vie...*

— Prends donc le genre humain comme moi... et adore-le tel qu'il est... nous avons tellement besoin de son indulgence... Comment aurions-nous acquis le droit d'être sévère ?

— Comme nous sommes prétentieux avec nos enfants. Nous leur donnons la vie et nous voulons faire mieux ! Comme si c'était possible...

— Ce n'est pas étonnant que les enfants ressemblent à leur père... tous les hommes sont pareils. Un jour, tu me rejoindras comme depuis quelque temps... je rejoins mon père. Mais rien ne presse. Laisse-toi être heureux... RIEN N'EST GRAVE EN DEHORS DE LA MORT DES AUTRES...

Sacha, vous ne saviez pas encore en écrivant ces lignes que Lucien votre père allait mourir cinq ans plus tard. Vous alliez peu à peu le rejoindre, comme vous l'écriviez, en devenant de plus en plus « LUI » dans vos rôles et vos attitudes. Vous ignoriez de même en écrivant les suivantes que, dans les années à venir, Yvonne allait s'éloigner de vous jusqu'à la rupture finale. Après la mort de votre père, ce sera le drame le plus éprouvant de votre vie sentimentale.

— Je t'ai dit que c'était très grave d'aimer, dit Lucien à son fils de théâtre à la fin de la pièce, j'ai menti. Je te supplie de donner largement confiance à la vie... parce que ses ressources sont inépuisables. J'ai souffert bien plus qu'il ne fallait... pour bien savoir... pour bien comprendre... et pour avoir le droit de te dire aujourd'hui... je te jure que je suis heureux.

Charlotte est oubliée. « Il a souffert bien plus qu'il ne fallait. »

Yvonne est exquise. « Regarde-moi, Maurice, *je suis heureux.* »

La jalousie, le chagrin, la détresse viendront plus tard. A travers cette réplique, Sacha, vous renouvelez sur scène votre « contrat de bien-être » avec la vie. Et — ô joie — tous les soirs, en ouvrant la porte du décor, vous aurez le bonheur de dire à Lucien :

— Bonjour papa... comment vas-tu ?...

— Bien, répond papa.

Et c'est vrai. C'est papa ! C'est vraiment papa ! Et papa va bien.

Vous qui ne pouvez rien imaginer qui soit faisable dans la vie sans que l'amour et le théâtre y soient mêlés, inséparables, « confondus jusqu'à quelquefois même les confondre », écrivez-vous, vous êtes alors comblé par cette réalité unie à la fiction pour l'enchantement d'un public qui ne demande qu'à s'en réjouir. Après *Deburau*, après *Pasteur, Mon père avait raison*, c'est la preuve absolue, donnée sur scène, de votre réconciliation, de votre fusion avec Lucien. C'est aussi, avec « Von Von » (c'est le petit nom donné à Yvonne, ou « Von »), la promesse d'un grand amour retrouvé. Essence même de votre théâtre que cette philosophie souriante et pour vous fondamentale : celle du bonheur.

— Vous savez ce que c'est pour nous le public ? questionnez-vous. C'est un pays... *notre* pays !

Et c'est si singulier que de pouvoir se dire :
Je parle à mon pays. Je l'émeus, le fais rire !
On aimerait parfois aller même plus loin
Et penser que peut-être, on lui a fait du bien,
En lui donnant toutes les joies possibles.
Et tout ce qui est beau, ce qui est accessible.
Plutôt que lui montrer la misère, la laideur
Lui dépeindre l'Amour, la Santé, le Bonheur
Car vous êtes partout, Public, toujours le même
Espérant un plaisir, une émotion suprême
Et quand « vous êtes bon »... Je jure qu'on vous paierait
Pour que le rideau rouge ne retombe jamais !

Sacha, j'ai pris à mon compte vos arguments, pour prolonger votre réponse. M'en tiendrez-vous rigueur ?

*Bien des personnes aiment à dire
qu'elles ont une prédilection marquée
pour les choses « profondes ». Or je me
demande si ces personnes ne commettent
pas parfois bien des erreurs en prenant
souvent pour profondes des choses qui
sont creuses.*

21 janvier 1920 : *Béranger !* Quatrième volet de cette année de créations, commencée le 23 janvier 1919 avec *Pasteur* et *Mon père avait raison*, poursuivie le 10 avril à la mairie du 16ᵉ arrondissement, sous le signe de la passion pour Yvonne, prolongée le 19 du même mois par la première, au théâtre, du *Mari, la Femme et l'Amant*, et achevée en ce 21 janvier 1920 par la création de *Béranger*. Ce titre aurait pu être celui d'une comédie musicale puisque Béranger — au nom bien éloigné de nos mémoires du XXIᵉ siècle — était un très célèbre auteur de poèmes et de chansons.

146

Légères et même grivoises — comme *Ma grand-mère* —, ces chansons au charme délicieusement suranné ont peut-être été fredonnées par les vôtres, lecteurs et lectrices. Et si d'aventure vous êtes né(e) dans le premier quart du XXe siècle, rappelez-vous ce petit refrain des années 1819...

> *Combien je regrette*
> *Mon bras si dodu*
> *Ma jambe bien faite*
> *Et le temps perdu.*

D'autres chansons de Béranger, que le peuple vénérait à l'égal d'un dieu, exaltent la patrie, la liberté, l'épopée napoléonienne. Elles lui vaudront de connaître la prison à deux reprises, en 1813 et 1828. Ce qui consacre toujours un créateur, même si — comme Sacha, en 1944 — il n'avait pas pensé à cette consécration comme à une récompense de première nécessité ! Rappel qui permet en tout cas au Sacha de 1920 de donner un peu plus de poids à un sujet mincelet. C'est une petite manie chez Sacha que ce goût de mettre en scène et de faire parler les grands hommes.

Cette part de son œuvre mériterait parfois plus de considération. Il a déjà évoqué en 1916 la mémoire Jean de La Fontaine qu'il considère comme le plus grand poète français (il n'est pas le seul) dans la pièce éponyme où Yvonne — Printemps — a pris une petite place. Tandis que Charlotte — Lysès — a perdu la sienne. Conséquence : en ce mois de janvier 1920, cette dernière déprime. Même si Jean Cocteau, ami intime de Sacha et de Charlotte, s'est efforcé de la consoler en lui affirmant à propos de Printemps : « Il se lassera bien vite de cette personne qui porte un nom de saison si courte ! »

Sacha vient d'écrire sur le plus grand savant de ce temps, Pasteur. Il a suivi également les traces de Deburau. Il est donc normal qu'il dessine le portrait de ce « poète de la chanson », Béranger, en ce 21 janvier, date anniversaire de la mort de Louis XVI. Ce qui n'est peut-être pas un hasard pur. Même si Sacha, peu soucieux de politique, se complaît à exposer dans son bureau les portraits côte à côte du comte de Paris et du prince Napoléon ! Quand un jour le jeune Alain Decaux lui demandera comment il les concilie : « Qu'ils s'arrangent entre eux ! » lui répondra Sacha. Il lui montrera alors une statuette de Jean-Jacques Rousseau, placée au milieu des deux. « Voilà l'homme que j'aime ! Rousseau, c'est la liberté ! »

*

Cette pièce sur Béranger est-elle immortelle ? Non. Mais après *Mon père avait raison*, Sacha et « Von » retrouvent le bonheur de jouer ensemble. Ayant connu une part de cette émotion en lui murmurant lors de certaines représentations de *La Fontaine* : « Ah ! si je pouvais... vois-tu... si je pouvais te rendre heureuse... », Sacha va en avoir l'occasion, tous les soirs sur scène. Comme il tentera de le lui prouver également à la ville ces mêmes soirs en rentrant du théâtre... tâche souvent malaisée. Les ardeurs amoureuses d'Yvonne — ô combien impérieuses — menacent trop souvent l'équilibre d'un Sacha, partagé entre son besoin d'écrire et... son besoin de passion ! Yvonne sera vite contrainte — sans grande difficulté — de rechercher en d'autres lieux et d'autres lits des suppléments d'information. Mais fi des ragots et autres indiscrétions ! En janvier 1920, Sacha adore Yvonne et Yvonne adore Sacha, même si l'un et l'autre savent que, selon Feydeau, « douze heures de lit ne valent pas six heures de sommeil », et que par conséquent Sacha ne s'y attarde pas assez.

Autre motif de bonheur pour Sacha : son père. Quand il lui lit la pièce, Lucien décide aussitôt d'y jouer un rôle.

— Mais c'est un petit rôle, s'excuse Sacha.

— Tant pis, je tâcherai d'en faire un grand, répond papa.

Ce qui est vrai. Lucien en fera un très grand. De quoi rendre un auteur heureux.

— Et surtout, n'ajoute pas une ligne, a-t-il prévenu.

Ce personnage, petit rôle dans *Béranger*, c'est

Talleyrand. Première rencontre de Sacha avec « le diable boiteux », seigneur de Valençay. Talleyrand va jouer un très grand rôle dans la vie de Sacha. Dans la mienne aussi... mais plus modestement et beaucoup plus tard : en mars 1948. Surprenante conversation téléphonique avec Monsieur Sacha Guitry. Je viens de faire mes débuts officiels à la Comédie-Française dans le Figaro du *Barbier de Séville* ; Monsieur Guitry tourne *Le Diable boiteux*, film au cours duquel on va assister à la création chez Talleyrand, dans les jardins de Valençay, de ce même *Barbier de Séville*. J'entends la voix célèbre : « J'ai besoin d'un Figaro. » Je crois immédiatement à la blague d'un copain ! Et pourtant c'est vrai. Sacha a besoin d'un Figaro. Il a surtout besoin d'un Basile et de sa tirade de la calomnie — cette « forme raffinée du meurtre », écrira un jour Maurice Schumann — pour faire comprendre à quel point « le chorus universel de haine » l'a éprouvé depuis quelques années (mais ceci est une autre histoire que je raconterai plus tard).

Si *Béranger* ne peut pas être considéré comme un chef-d'œuvre, la pièce peut prendre place dans la galerie miracle du théâtre de Sacha pour plusieurs raisons. D'abord on y trouve des répliques qui étonneraient les enfants de 1968 ! « Faites des vers... faites l'amour... » Et sous la plume de Guitry, Béranger ajoute : « Si vous tenez absolument à remplir une mission sur cette terre — et je ne saurais trop vous y engager —, amusez-vous donc à répandre le bruit que l'humanité n'est pas tellement vilaine... et que la vie est parfaitement vivable... »

C'est une recommandation très éloignée des messages plus musclés des années 2000. Mais après tout, si on lui répétait cela plus souvent, la jeunesse ne s'en porterait pas plus mal. Il y a d'ailleurs d'autres répliques, au style très neuf, dans cette pièce de 1920, et dont le ton ne déparerait pas notre dramaturgie actuelle. Ainsi, par exemple, Béranger (Sacha) se trouve face à Marie (Yvonne), la petite servante d'auberge.

— Tu es la fille du patron ?

— Non.

— Sa maîtresse ?

— Pas encore.

— Qu'est-ce que tu attends ?

— Qu'il ait trente ans de moins.

A ce patron d'auberge qui a volontiers la main baladeuse et la menace d'une telle promenade, la petite Marie répond :

— Vous croyez me faire peur avec votre doigt en l'air ? J'ai pas encore vingt ans. De quoi puis-je avoir peur ?

— Tu ne les auras pas toujours, tes vingt ans !

— Et vous ? Vous n'aurez plus jamais les vôtres ! Et vous n'aurez jamais les miens !

C'est rapide, nerveux, sans fioritures, et ça dit bien ce que ça veut dire.

151

Béranger c'est aussi, c'est surtout, pour Yvonne l'occasion de se mettre en valeur dans un rôle triple et de chanter les chansons les plus célèbres de Béranger dont *Le Roi d'Yvetot.*

> *Oh ! Oh ! Oh ! Oh ! Ah ! Ah ! Ah ! Ah !*
> *Quel bon petit roi c'était là !*

Je vous rassure tout de suite : la chanson propose d'autres développements !

> *Il n'agrandit point ses états*
> *Fut un voisin commode*
> *Et, modèle des potentats !*
> *Prit le plaisir pour code !...*
>
> *Oh ! Oh ! Oh ! Oh ! Ah ! Ah ! Ah ! Ah !,* etc.

Lucien, lui, va faire de Talleyrand une composition si saisissante que Sacha ne l'oubliera jamais. Quand il reprendra vingt-huit ans plus tard le rôle dans son *Diable boiteux,* c'est le visage de son père qui l'inspirera. Et quand il le fera revivre en 1954, au cinéma, dans *Napoléon,* l'identité confondante de Lucien, de Sacha et de Talleyrand sera un autre miracle Guitry. Osmose absolue d'attitude, de ton et d'esprit entre trois monstres ! Ce miracle se produit plus ou moins souvent dans la vie des acteurs : la rencontre avec un rôle. Correspondance mysté-

rieuse, presque magique entre l'acteur et un personnage ! Nous ne la ressentons pas nous-mêmes, mais
les autres la voient. Elle nous valorise presque à notre
insu. On m'a accordé jadis ce brevet de confiance,
avec Figaro puis avec Robert d'Artois dans *Les Rois
maudits*...

Merci à mon père et à ma mère. Merci aussi à
Beaumarchais et... à Maurice Druon.

*

« Je tâcherai d'en faire un grand rôle », avait
dit Lucien à Sacha lors de la première lecture de
Béranger. C'est ce pouvoir d'instinct qui caractérise
les acteurs. Il avait déjà estimé, au cours de cette lecture — comme il nous arrive parfois de le faire —,
qu'il allait se régaler avec les quelques répliques des
deux seules scènes qu'il avait à jouer. Surtout lors de
la dernière, quand Béranger (Sacha) se déchaîne
contre Talleyrand (Lucien), avec des arguments que
Sacha Guitry reprendra plus tard dans son *Diable
boiteux* et dans *Napoléon*.

— Talleyrand ! Vous êtes un être hideux ! Vous
avez trahi l'Église, l'empereur, votre femme et vos
rois ! Vous avez prêté quatorze fois serment dans
votre vie ! Votre merveilleuse intelligence... ne vous
aura servi qu'à faire quelques mots ! Vous aurez été
le plus grand homme politique de la France et vous

ne laisserez de vous qu'une cinquantaine de mots éclatants et cruels.

— Béranger, vous êtes un brave homme, répond Talleyrand. Vous êtes très français... Vous avez des convictions... Vous aimez votre pays et vous croyez que c'est une opinion politique ? Ce n'est pas une opinion, c'est de l'amour. L'amour ce n'est pas une opinion, c'est un sentiment. Vous avez pour la France un sentiment profond, inaltérable, aveugle... Dans ces conditions-là... ne faites jamais de politique ! Ce n'est pas votre affaire, Béranger ! Vous êtes un homme de lettres, tout simplement... Chantez la liberté des autres... Fuyez la politique...

Inutile de citer des noms, mais combien d'« hommes de lettres » tâteront de la politique, après Talleyrand, et auront à le regretter, revenant au plus vite à leur « cher cabinet de travail » et au bonheur d'écrire. Et Talleyrand ajoute :

— Ne me jugez donc pas avec cette violence et cette naïveté. Le cardinal de Retz a dit que, pour demeurer fidèle à son parti, il fallait souvent changer d'opinion. Je pense le contraire... et je n'ai jamais changé d'opinion.

— Allons donc !

— Jamais, monsieur. Je n'ai qu'une seule opinion... c'est que la guerre est une infamie. Et depuis quarante ans j'ai tout sacrifié à cette opinion-là. Si je n'avais pas trahi Napoléon, j'aurais trahi la France. Que de gens l'ont trahie parce qu'ils n'avaient pas le courage d'avouer les erreurs de leurs maîtres... *Je n'ai jamais conspiré que lorsque j'avais la moitié de la France pour complice.*

Je me permets de rappeler que cela a été joué en janvier 1920, alors que la France venait à peine de sortir de la guerre. Comme dans *Pasteur*, Sacha a mêlé à son dialogue quelques phrases de Talleyrand lui-même (à vous de les trouver). Et Béranger-Sacha poursuit sa discussion avec Talleyrand-Lucien d'où toute actualité n'est pas exclue, prouvant ainsi que le théâtre peut rester étranger à la politique tout en en demeurant — Sacha *dixit* — le peintre scrupuleux :

Béranger : Vous parlez de la France et vous ne l'aimez pas.

Talleyrand : Je l'aime autant que vous.

— Non, Talleyrand, car vous n'aimez pas le peuple. C'est lui qu'il faut aimer... C'est lui qu'il faut comprendre.

— C'est lui qu'il faut flatter... n'est-ce pas... courtisan ?

— Courtisan, moi ?

— Vous n'êtes pas autre chose. Vous courtisez le peuple et vous vous imaginez que vous servez ses intérêts. Vous croyez donc que le peuple a des opinions politiques... Vous croyez donc qu'il a une préférence pour un régime plutôt que pour un autre ? Non... Le peuple veut manger à sa faim... voilà le régime qu'il préfère... Il veut être heureux dans sa maison.

— Le peuple veut pouvoir travailler...

— Pas encore... hélas... ! Non, pas encore. Le jour où il comprendra que sa délivrance est dans le travail... ce jour-là nous pourrons parler de la République.

Trois quarts de siècle plus tard, sommes-nous si éloignés de ces constats ?

Sacha manifestait déjà dans cette pièce son respect et son amour du XVIIIe siècle. Reprenant bien souvent un mot que Talleyrand n'avait peut-être pas prononcé, il affirmera plus tard : « Ceux qui n'auront pas vécu au XVIIIe siècle n'auront pas connu la douceur de vivre. »

Lucien Guitry ne s'encombre pas de ces soucis. Il se contente, lui, de dévorer son petit rôle à pleines dents en félicitant Béranger de son goût de rester libre, avant de sortir de scène sur un triomphe.

— Être indépendant à ce point... c'est très beau. Depuis cinquante années que je fouille partout... je n'en ai pas vu beaucoup comme vous... même parmi les poètes... Serrez-moi la main, Béranger, vous me ferez plaisir. Nous ne nous reverrons plus. J'arrive au terme du voyage...

— Sans regret ?

— Oui...

— Sans appréhension ?

— Oui...

— Et s'il y avait un Dieu ?

— Hum...

— Craindriez-vous de paraître devant lui ?

— Hum...

— Vous... vous n'auriez pas peur ?

— Si... j'aurais peur de rire !

Quel acteur ne se régalerait avec une pareille sortie de scène. C'est du caviar ! On entend encore de nos jours les applaudissements qui le saluaient. Pas fou, ce Lucien Guitry de 1920. A soixante ans il savait lire une pièce et un rôle prétendument petit...

*

Robert de Flers, dans *Le Figaro* (le de Flers de *Primerose* ou du *Roi*, avec Gaston de Caillavet), disait à propos de *Béranger* : « M. Sacha Guitry a le sentiment merveilleux et profond de la jeunesse, de son ardeur, de sa richesse et de sa beauté. Et ce sentiment, il l'a, étant lui-même très jeune, et tel qu'on ne l'éprouve à l'ordinaire que lorsqu'on ne l'est plus. ÊTRE JEUNE, CELA S'APPREND PETIT À PETIT, et le plus souvent on ne le sait qu'au seuil de la maturité. M. Sacha Guitry l'a su tout de suite par la grâce de son génie. Il nous l'avait déjà prouvé dans *Le Veilleur de nuit*. Nous avons admiré de nouveau, chez l'auteur de *Béranger*, l'adorable privilège d'être jeune avant quarante ans. »

Fernand Gregh *, lui, reconnaît que « *Béranger* est un succès... Et c'est ce qui le désespère pour le Sacha de l'avenir... assuré de tirer de n'importe quel sujet une pièce qui tienne l'affiche plus d'une centaine de fois. La présence de son admirable père, dit encore Gregh, est une fortune pour le directeur et l'acteur, mais une catastrophe pour l'auteur... ».

S'adressant alors directement à Sacha, il conclut : « On ne verra plus en vous qu'un amuseur alors que vous auriez pu être un créateur... »

C'est un constat sur son œuvre que Sacha pourra lire toute sa vie. Y répond-il en déclarant un jour : « Aucune de mes pièces ne me satisfait complètement. » C'est possible. D'autant qu'il ajoute — nous le savons déjà, mais ce rappel n'est pas inutile : « Et quant à la situation que j'occupe, elle me surprend... *bien plus qu'elle ne comble mes vœux.* » C'est une réponse intime qui ne concerne que lui. Mais quand il compose un *Petit Poème dans le but de déplaire à un journaliste insignifiant* et que ce journaliste est le grand patron d'un des plus importants quotidiens du matin, il doit s'attendre à quelques retombées. Quel homme politique aurait de nos jours cette témérité ?

---

* Fernand Gregh, écrivain, membre de l'Institut, critique dramatique, collaborateur au *Figaro*, au *Mercure de France*, à *La Revue des Deux Mondes*, il présidera la Société des gens de lettres en 1949.

Il ne pouvait d'autant moins se plaindre du jugement de Fernand Gregh qu'il a lui-même écrit au troisième acte de *Béranger* :

— Quand on a une opinion, on ne la chuchote pas, on la chante ou on la crie !

De Fernand Gregh à Pierre Brisson, directeur du *Figaro*, nombreux sont ceux qui la lui crieront, cette opinion-là. Telle une appréciation qu'un lycéen peut lire sur son livret scolaire, à l'âge du baccalauréat : « Élève doué, peut mieux faire. »

Hélas, Sacha avait abandonné ses études à l'âge des culottes courtes. Tout ce qu'il savait c'était à son ignorance qu'il le devait. Il ne pouvait donc mettre au service de son œuvre que sa parfaite connaissance de la vie : la sienne. Dommage qu'il ne se soit rappelé l'esprit critique qu'on développe, dès les premiers pas de la scolarité, dans les lycées et collèges, bien plus que le souci d'admirer !

Ah Sacha ! Pourquoi avez-vous si mal supporté les jugements ? Pourquoi avez-vous répondu si vertement aux critiques, « ce mal nécessaire », comme le reconnaissait joliment l'un d'eux ? Vous savez bien maintenant que, face aux modes, aux mouvements des sociétés, aux petites cellules de toute nature, le créateur se retrouve souvent incompris, objet de rejets autant que de mauvais procès et même de mauvais procédés. Le jeu, c'est aussi celui-là !

La ligne bleue des Vosges ! N'est-ce pas sur elle

qu'il faut savoir porter le regard quand, de la scène à la ville, nous nous trouvons si exposés ?

Si tu peux supporter triomphes après défaites
Et regarder ces deux menteurs d'un même front...

disait Kipling.
Kipling ? Vous connaissiez pourtant.

Tu es aussi peu que possible la femme qu'il me faut... c'est bien tentant.

En 1920, Sacha écrit *Je t'aime.* Quel beau titre. Et quel aveu. Aveu destiné à Yvonne, bien entendu, et sur une scène de théâtre évidemment. Un face-à-face avec elle en cinq actes, partagé avec quelques comparses. Mais un duo essentiel au troisième et au cinquième acte, donnant aux spectateurs le sentiment d'être indiscrets. Ils jouent ensemble le début d'un grand amour, la promesse d'une grande passion, alors qu'ils la vivent.

Sacha n'a jamais interprété Molière. En cela il n'a pas suivi l'exemple de son père. Lucien avait en effet joué Alceste à dix-sept ans. Plus tard, âgé de soixante-deux ans, à l'occasion du tricentenaire de la naissance de Molière, en 1922, il s'attaque même à *Tartuffe.* Il y apporte une « modernité » qui main-

161

tenant encore diviserait les amateurs : son Tartuffe avait l'accent auvergnat ! Pourquoi pas ? On a fait mieux depuis ! Mais tout de même :

— Couvlez che chein que je ne chaullais vouar...
Ça ne devait pas être triste !

Sacha, si vous n'aviez pas négligé Molière, il vous aurait peut-être incité à méditer ces trois vers de *L'École des femmes* avant de vous couler dans les bras d'Yvonne :

> *Elle trahit mes soins, mes bontés, mes tendresses*
> *Et cependant je l'aime, après ce lâche tour*
> *Jusqu'à ne me pouvoir passer de cet amour...*

Vous en avez conclu — hélas ! — comme Alceste au premier acte du *Misanthrope* : « Mais la raison n'est pas ce qui règle l'amour. »

Aussi, en cet automne 1920, est-ce avec une ferveur neuve, presque candide, que vous murmurez à Yvonne au dernier acte de *Je t'aime* :

— Écoute-moi bien. Chaque jour de bonheur nous donne pour l'avenir un jour de bonheur. Mettons-en de côté. Ne nous quittons jamais. Ne devenons jamais méchants. Ne nous mentons jamais. Avec quelques « jamais » de cette espèce-là, on finit par faire le mot « toujours ».

Ce n'est pas une déclaration rare. Mais ce Sacha d'octobre 1920 est incontestablement d'une grande naïveté en amour. Toutes ses futures femmes le constateront avec le temps. Il travaille trop. Il idéalise. C'est parfois le propre du créateur que de rêver le monde tel qu'il voudrait qu'il soit. Sacha est encore très loin de celui qui — avec plus de lucidité — écrira un soir de février 1932, vers 3 heures du matin, quatre jours après son quarante-septième anniversaire : « Il est étonnant de penser que chaque fois qu'un homme épouse une femme il s'imagine qu'il épouse *sa* femme. Ils disent le jour où j'ai épousé " *ma* femme ". Ils disent même le jour où je me suis séparé de *ma* femme. Ils ressemblent à ces gens qui disent " mon train " part à 17 heures 12 et qui continuent à l'appeler *mon* train... même quand ils l'ont manqué ! »

Un peu d'humour pour chasser la détresse, ça décape !

Lors de la création de *Je t'aime*, Sacha a trente-cinq ans. Il n'a jamais été aussi jeune. Yvonne en a vingt-six et elle découvre avec gourmandise l'univers Guitry. Il est heureux. Elle aime le bonheur. Il est naïf. Elle est tout le contraire ! Ils vivent, pour l'heure, toutes leurs différences dans la béatitude. Aussi bien à la ville qu'à la scène. Lieu essentiel pour Sacha, il s'y laisse démasquer, ayant le public — qui, lui, ne sait pas tout — pour seul témoin.

— Je suis sûr qu'il y a une très jolie place à prendre pour deux amants qui ne désirent pas que leur amour soit un *sujet de roman*, ni un sujet de pendule, affirme-t-il encore au cours du dernier acte.

Il est sincère quand il s'exprime ainsi. C'est pourtant le contraire qui arrivera ! Et à force de répéter cette réplique chaque soir au théâtre, *Un sujet de roman* deviendra le titre d'une pièce que Sacha va bientôt écrire pour Lucien ! Et pourtant... cet amour qu'il vit avec Yvonne et qui va faire d'eux pendant treize années un roi et une reine de Paris, il aurait peut-être préféré le vivre dans le silence, tel qu'il en parle à la fin du dernier acte de son *Je t'aime :*

— Comme les peuples heureux, il faut que notre amour n'ait pas d'histoire. Il faut que les autres n'y comprennent rien. Il faut que si un jour un auteur dramatique a l'idée saugrenue de faire une pièce sur nous, sur notre amour... il faut que la critique puisse dire : « Ce n'est pas une pièce... il ne s'y passe rien. »

Hélas ! Objet de bien des conversations et de tous les potins, ces amours de treize années vont donner naissance — quelle consolation pour Sacha — « à d'innombrables sujets d'em... et par conséquent de comédies ».

Vingt-cinq ans après *Je t'aime* et plus de dix ans après son éclatante rupture avec Yvonne, c'est encore à elle qu'il songe en écrivant *Elles et toi,* petit recueil de réflexions qui est l'histoire du règne d'Yvonne. « *Je ne cesse de penser que je ne pense plus à toi.* » Il est le premier à regretter que ce rappel ne lui soit pas toujours favorable. Mais « redouter l'ironie, c'est craindre la raison »...

« Vous êtes en contradiction, ton corps et toi. Et ce n'est pas le moindre de tes charmes. Je t'ai vue inondée de larmes avec des seins qui continuaient d'être à la fête. Ton corps oppose un démenti formel aux reproches que tu me fais. Lorsque tu t'éloignes, il a l'air bien souvent de te suivre à regret. Mais quand tu fais l'amour, tu as parfois, en revanche, de la peine à le suivre — et ce n'est pas ton moindre défaut. Comment pourrais-tu tenir, il est vrai, toutes les promesses qu'il fait sans t'avoir consultée... »

Misogyne Sacha ? Peut-être ! Mais ce n'est pas sans raison. L'époque l'est tout autant que lui qui écrit : « J'ai pour la femme un tel amour et pour l'amour un tel penchant que la pensée de vivre à deux sans s'adorer me fait horreur. »

Alors ?

Cocu ? Sûrement.

Blessé ? Oui. Profondément.

Humilié ? Aussi. Car Tout-Paris *sait !* Et ce n'est pas le moindre de ses maux. Oubliant La Fontaine que pourtant il admire et son précepte sur le cocuage...

> *Quand on l'ignore, ce n'est rien*
> *Quand on le sait, c'est peu de chose.*

165

Sacha ne cherche pas à dissimuler : « J'en ai souffert, je l'avoue, à ma courte honte. »

Il s'efforcera toujours d'en rire malgré les blessures, donnant, bien plus tard, à une œuvrette cinématographique un peu oubliée le titre *Je l'ai été trois fois*. Le film est tourné en 1952.

Yvonne n'est pas encore oubliée... elle.

*

Sacha avait découvert Yvonne en 1915 en lui offrant de participer à une revue qu'il écrivait, *Il faut l'avoir* (il ne l'aura pas ce jour-là), elle avait vingt et un ans. Éblouie, elle voyait l'auteur dramatique Sacha Guitry, déjà très célèbre, entrer pour la première fois dans sa loge, avant d'entrer dans sa vie.

La petite Yvonne Wigniolle a débuté au music-hall quand elle était encore enfant. A quatorze ans elle joue un petit rôle dans une revue au titre évocateur bien qu'il n'ait pas laissé de trace dans les annales : *Nue cocotte*. A dix-huit ans, elle en joue une autre, *Ah ! les beaux nichons*. Sont-ce les siens ? C'est possible. Sacha les célébrera souvent. Et comme pour mieux les chanter un certain 1er mai, il leur offrira un madrigal de sa composition :

Gai, Gai ! Voici le muguet !
Et ses petits clochetons
Soyons gais et contents
Ce sont les couilles du Printemps.

C'est aussi l'occasion pour cette Printemps de 1915 de jouer au côté de Maurice Chevalier. Elle y rencontre également un certain Gabin, père d'un charmant jeune homme à qui il reproche sans cesse son peu d'ardeur pour le théâtre : « Ah ! s'il voulait travailler ! » Ardeur ou pas, le petit jeune homme deviendra tout de même Jean Gabin quand le cinéma pour lequel il semble avoir été inventé (ou le contraire) fera de lui le plus grand acteur du XXe siècle, avant et après la guerre.

Enfant prodigue, Yvonne, dont la mère a été séduite et abandonnée comme dans une chanson réaliste de Berthe Sylva, se montre frétillante en recevant cette visite de Sacha dans sa loge. Il ne faudra pas longtemps à maman Wigniolle, blanchisseuse de son état, et à Yvonne, « pas paresseuse sous l'homme », pour comprendre le parti que l'une et l'autre peuvent tirer de cette rencontre offerte par le destin sur un plateau d'argent. « Les draps restent chez les Wigniolle une affaire de famille », écrit, dans un excellent livre sur Sacha, Patrick Buisson. Yvonne est pour l'heure la maîtresse, intermittente pour cause de guerre aérienne, de Guynemer, le célèbre héros de l'aviation. Et si la guerre est présente dans la vie des uns et des autres, Guynemer est souvent absent. C'est sans doute au cours d'une de ses absences que Sacha, malgré ses rhumatismes articulaires, réussit à convaincre Yvonne (qui ne manifeste à cet égard nul empêchement) de la vigueur de ses sentiments. C'est le début d'une folle aventure — célébrée par les clochetons du 1er mai — qui fait découvrir à Sacha toutes sortes de voluptés que « maman Charlotte (Lysès) » n'avait peut-être pas su lui faire entrevoir. C'est le début de ce règne sur Paris que Sa Majesté Sacha et la reine Yvonne vont exercer pour le bonheur d'un public chaque année plus empressé à les voir. Et aussi, et surtout, à tout savoir d'eux. Mais de cela, Sacha le pudique (eh oui !) ne parle que dans ses pièces. Évitant les gazettes, il ne se laisse deviner qu'à travers la quarantaine d'œuvres qu'ils vont jouer ensemble. De ces années 20, un seul événement le touchera brutalement qui ne se trouve inscrit nulle part : la mort de son frère Jean, tué sur la route de Deauville dans un accident de voiture. Jean et lui, complices de leurs années d'études, de jeunesse et même de bamboches, comme on le disait alors, ne se rencontraient plus beaucoup, depuis la réussite de Sacha, même si Jean avait été tenté lui aussi par le théâtre sans y trouver sa place. Mais les liens fraternels existaient. Et la détresse de son père, à l'annonce de cette mort, bouleversera Sacha.

A une dizaine de kilomètres de Deauville, dans la

forêt de Saint-Gatien, vers la fin d'une soirée de septembre, la voiture du propriétaire du *Journal* fait plusieurs tonneaux sur la route. Jean Guitry heurte la vitre arrière de la voiture. Il ne se relèvera plus : fracture du crâne. On prévient immédiatement Sacha qui part aussitôt pour Bruxelles où son père joue *Pasteur*.

Écrasé de douleur à cette révélation, et peut-être aussi de remords, Lucien quitte aussitôt Bruxelles, arrêtant pour quarante-huit heures les représentations. Il se sent coupable de négligence et se reproche surtout d'avoir marqué — et peut-être Jean l'a-t-il compris — une préférence évidente pour Sacha. Même pendant leur rupture qui a parfois trouvé Jean pour confident.

— Occupe-toi de tout, dit Lucien à Sacha. J'en suis incapable.

Et c'est vrai. Lucien va entrer dans le silence et le deuil. Il se retire chez lui, au Mesnil. Plus jamais il ne parlera de Jean. Enfermé dans son chagrin, et pour longtemps, il va même s'habiller de noir jusqu'à la fin de sa vie. Là encore l'attitude est théâtrale. Mais pour Lucien, comme pour Sacha, c'est le théâtre, et le théâtre seul, qui leur permet et leur permettra toujours de surmonter tous les mauvais tours et les drames de leur vie. Lucien sera bientôt à l'affiche dans un théâtre de Paris, grâce à Sacha. Ce qui n'enlève rien à son chagrin profond et à un désarroi définitif.

169

*

Privilège du théâtre... Cher Sacha, combien de jeunes élèves des classes de comédie du Conservatoire national de Paris ont-ils pu sentir, en travaillant des scènes de votre *Je t'aime* — je fais allusion à ceux de mon époque, bien entendu —, que cette pièce était sans aucun doute la plus exquise déclaration d'amour qu'un homme puisse faire — sous le masque de la comédie et la complicité d'un plateau de théâtre — à la femme qu'il aime ? Bien peu, sans doute. Cette pièce, vous l'aviez pourtant dédiée :

> *... A mon inspiratrice Yvonne*
> *A mon interprète Printemps.*
>
> *A qui veux-tu que je la donne ?*
> *Elle est à vous, depuis longtemps.*
> *Elle est à toi d'abord, Yvonne.*
> *Elle est ensuite à toi, Printemps...*

Déjà, inconsciemment ou non, vous distinguiez Yvonne de Printemps. Comme on peut distinguer Guitry de Sacha. Et c'est sur le même mode que vous poursuivez cet envoi, comme si vous saviez déjà que, grâce à vous, Yvonne, elle aussi « élève douée, peut mieux faire », va devenir l'enchanteresse Yvonne Printemps. Miracle d'une voix d'or qui correspond totalement à l'exigence et au goût de ces années d'après-guerre, qu'on a appelées folles, elle dissimule une réalité tout autre, responsable, à l'évidence, de cette misogynie qu'on vous a tant reprochée, Sacha.

> *Si ma gratitude t'étonne,*
> *si profonde et juste pourtant,*
> *j'ai bien le droit... Dieu me pardonne,*
> *de la donner en même temps,*
> *à mon inspiratrice, Yvonne,*
> *à mon interprète Printemps.*
> *Et si tu n'en veux pas, Yvonne,*
> *Veuillez l'accepter,* vous, *Printemps !*

C'est gentil. Mais dès que vous parlez d'amour en dehors de la scène, Sacha, ne m'en veuillez pas, les mots sont un peu mièvres ! Timidité ? Préciosité soudaine ? La dédicace n'est pas géniale, avouez-le.

Seule excuse, vous êtes amoureux ! Oui, Sacha aime Yvonne, à la folie. Il est heureux. Et chacun sait que c'est en se frappant le cœur — et seulement ainsi — que le génie se révèle à l'ombre des amours contrariées.

Au premier acte de *Je t'aime*, il lui déclare à travers le personnage de LUI (qu'il interprète) « qu'un amour qui ne prend pas naissance d'une façon clandestine ne peut pas devenir un amour profond ».

171

Même si dans sa vie professionnelle c'est d'un autre cocktail dont il saura user : « Un tiers de savoir, un tiers de savoir-faire, et un tiers de faire savoir ! » Ce qui est dit est dit. Et puisqu'il se cache — et se cachera toujours — derrière ses personnages...

DÉCRYPTONS.

Il n'a rien ignoré des relations de Guynemer et d'Yvonne. C'est donc clandestinement qu'il s'est glissé dans les draps d'Yvonne entre 1916 et 1917, pendant les absences de l'aviateur. Même si celui-ci revenait parfois reprendre sa place — ce qui tourmentait Sacha —, il lui donnait tout de même le sentiment flatteur de cocufier un héros de la Chasse française. Ce n'est pas avouable en temps de guerre, mais pour l'« ego » d'un Sacha (et de qui que ce soit !), quelle satisfaction de pouvoir en 1920 le révéler secrètement sur scène, sans que personne — sauf Yvonne — puisse le comprendre. Radiguet en 1923 utilisera cette situation avec son roman *Le Diable au corps*. D'autant que les retours du héros — dont il s'est parfois mal accommodé — lui auront peut-être permis d'écrire quelques répliques de *La Jalousie*, en 1917. Ceci compensant largement cela, quand on est d'abord et avant tout un auteur dramatique !

Rappelons au passage qu'Yvonne saura mettre en pratique ce conseil de clandestinité (dont elle n'avait nul besoin) pour connaître des amours sans profondeur pendant toutes les années où son destin sera uni à celui de Sacha. Mais observons surtout à quel point Yvonne justifiait la passion de Sacha. Déjà, au cours d'une tournée glorieuse à Londres, elle a su se montrer tout aussi royale que le roi George V et la reine Mary à qui elle venait d'être présentée après une représentation de *Mon père avait raison.* Sacha a pu voir à quel point sa femme était devenue « Madame Yvonne Printemps ». Aussi bien au cours de cette présentation aux souverains qu'au cours des représentations à l'Aldwich Theater (où j'ai joué moi aussi avec la Comédie-Française quarante-cinq ans plus tard, mais sans roi, ni reine, ni Printemps) ! Quelle grâce possède cette femme en descendant d'une Rolls marquée à leurs chiffres, Y et S, sur les portières. Avec quel « chic » elle sait pénétrer dans le hall du Savoy Hotel ! Elle se montre digne de LUI. Même s'il n'avait nul besoin de cette confirmation pour devenir fou d'ELLE.

Quand dans *Je t'aime*, ELLE interroge LUI, c'est qu'il vient d'affirmer que le seul mode de vie, c'est d'être heureux :

— Vous avez le système ? demande ELLE.

— Oui, répond LUI.

— Il est bon ?

— Je ne l'ai pas encore expérimenté.

— Qu'est-ce que vous attendez ?

— L'autre.

— L'autre... quoi ?

— Il faut être deux pour mon système.

— Vous cherchez donc une comédienne ?

— Oh ! mais non... Une artiste !

Il l'a trouvée son artiste ! Et en volupté, « quelle artiste » !

La preuve ? Un délicieux petit acte, *Un soir quand on est seul,* écrit dès 1917. Sacha s'est laissé aller à sa « Fantaisie » (c'est un rôle tenu par Gaby Morlay), mais aussi et surtout aux souvenirs — très personnels — de minutes exquises passées au lit avec Yvonne.

> *Je me souviens d'une souplesse acrobatique*
> *Je me souviens d'un va-et-vient*
> *Je me souviens de cris perçants...*
> *Tu me flanquais presque des coups*
> *Je me souviens de gestes fous...*

Et Sacha se souvient tout aussi bien...

> *En tant qu'amant*
> *J'ai fréquemment*
> *Pensé*
> *Que tu savais très bien quand il fallait cesser*
> *D'être inutilement agile*
> *Ah ! que tu savais bien devenir immobile*
> *Juste à l'instant que je voulais.*

Relisez attentivement et avouez, Messieurs, qu'il y a là de quoi se passionner pour quelqu'un qui révèle de tels talents.

Après cette parenthèse dédiée à Éros, revenons au marivaudage de *Je t'aime*. LUI s'explique devant ELLE :

— Il faut que cette personne soit...

— ... grande ?

— Il faut qu'elle me vienne (*il montre son cœur*)... là.

— Il y a longtemps que vous la cherchez ?

— Je ne la cherche plus.

— Vous l'avez trouvée ?

— Qui sait ? Peut-être...

— Elle est bien ?

— Elle n'est pas mal...

— Elle est jeune ?

— Elle a dix ans de moins que moi.

— Et vous avez... ?

— ... dix ans de plus que vous.

Dialogue précis et révélateur :

Sacha est né le 21 février 1885 et Yvonne le 21 juillet 1894. A sept mois près, le compte est bon : les dix ans sont bien là.

Si on précise que ELLE vient d'avouer à LUI que sa mère s'occupait trop de son bonheur alors qu'elle se sent parfaitement capable d'orienter ses choix elle-même, il n'y a pas d'erreur possible. Sacha pense à maman Wigniolle (ou à Mme Cardinal), blanchisseuse à Montmorency.

LUI : Qu'est-ce qu'elle cherche ?

ELLE : A faire mon bonheur !

LUI : A son goût à elle ! Il faut se méfier !
Comment est votre père ?

ELLE : C'est sa mère à elle qui l'avait choisi !

LUI : Aïe aïe aïe !

Sacha s'est rappelé que maman Wigniolle a été séduite et abandonnée. Créer, c'est se souvenir...

Autre détail — presque prémonitoire — contenu au cinquième acte quand ELLE découvre la maison, aux murs entièrement blancs, que LUI a faite pour ELLE (et... LUI !) couverte de fleurs, décorée de photos d'elle un peu partout, et où Renoir, Manet, Degas, Lautrec ont pris leur place sur les murs nus et blancs. ELLE a une sensation étrange en y pénétrant, malgré le ravissement de la découverte.

— J'ai l'impression que je vais étouffer.

C'est le reproche que lui adressera un jour une Yvonne qui effectivement va bientôt étouffer.

— Mon cœur saute. Parle-moi... Il faut que tu me montres les choses *toi-même... Me dire ce que je dois regarder.*

C'est ce qu'il va trop bien faire, ce Sacha-Pygmalion qui, plus tard, dira d'Yvonne qu'elle a été sa plus grande réussite ! Comme s'il s'agissait d'un spectacle qu'il aurait écrit et produit lui-même, et dont il aurait été le premier spectateur. Il va être le guide de ses choix, l'accompagner sans cesse et partout, l'emprisonner de ses prévenances. La méfiance et la peur d'être trompé ne sont pas exclues. Il se rappelle Charlotte Lysès et son ténor « Tu es là, chérie ? » Mais il a le goût, le souci de lui donner tout ce qu'elle souhaite, avant même qu'elle en ait exprimé le désir. C'est une faute. Il comble de cadeaux, de bijoux, de fourrures Mme Sacha Guitry alors qu'un peu de liberté serait parfois le seul bonheur qu'Yvonne attend... sans pour cela refuser les parures.

Après la mort de Lucien — horrible drame pour Sacha —, ils viendront habiter le Champ-de-Mars, Yvonne va alors éprouver le sentiment d'être prisonnière, « bouclée » même. Elle va chercher à s'évader de la cage, le plus souvent possible, même si cette cage est dorée.

*

« N'empêche pas que j'existe », fait dire Paul Claudel à l'une de ses héroïnes du *Soulier de satin*, Doña Musique, pressée par l'amour du vice-roi de Naples.

C'est bien là l'excuse que pouvait invoquer Yvonne : « N'empêche pas que j'existe. » Comme le feront — presque en doublures — deux des épouses suivantes, Jacqueline Delubac et Geneviève de Seréville, qui assureront une sorte d'intérim dans la vie de Sacha, après le départ d'Yvonne et avant l'arrivée de Lana Marconi qui, elle, n'épousera pas Sacha mais Guitry, un homme bien différent de lui. Aucune ne le consolera jamais tout à fait du départ

177

d'Yvonne. Mais toutes constateront que Sacha ou Guitry, cet homme soupçonneux et parfois tyrannique, possédé par le théâtre comme on peut l'être par le démon, est incapable de comprendre que « lire une scène qu'il vient d'écrire, vers une heure du matin », ou plus tardivement encore dans la nuit, peut horripiler la femme aimée et l'empêcher d'« exister » ! D'autant qu'à cette heure-là Yvonne, aussi bien que Jacqueline ou Geneviève, était capable ou désireuse, à défaut de dormir, de s'intéresser à d'autres jeux.

Toutes se lasseront et justifieront leur départ par cet enfermement et cette exigence totalitaire qu'exerce sur lui le théâtre. « Il ne voit plus que cela, toujours, partout, à chaque heure du jour et de la nuit : le théâtre ! Le théâtre ! Le théâtre ! » Pour lui, s'exclame Yvonne, « les gens qui marchent dans la rue, ce sont des spectateurs qui déambulent en attendant que les théâtres ouvrent leurs portes » ! Dans *Le Roi*, de De Flers et Caillavet, Bourdier, le bon bourgeois qui a pour maîtresse une comédienne, s'écrie avec bonheur : « J'ai une maîtresse... je vais embrasser ma femme ! » Sacha fait de même : il vient d'écrire une bonne scène, il est heureux. Il va la lire à Yvonne ! Sa maîtresse, c'est le théâtre. L'épouse — ou le baiser —, c'est la lecture ! Même en vacances — ce qu'il déteste —, Yvonne ne parvient pas à lui faire partager quelques-uns de ses instants de détente. Si elle se baigne à Saint-

Malo ou à Dinard, il reste sur le bord de la plage, cravate de soie au cou, habillé d'alpaga léger comme un citadin, et panama sur le crâne, hurlant qu'elle va se noyer ! Et quand elle revient vers lui, après de multiples suppliques, c'est pour s'entendre menacer d'une bronchite calamiteuse ou d'une pleurésie tenace dans les quarante-huit heures ! Il écrit. Et il ne se promène, ni ne sort jamais. Ou alors c'est avec « Pépée », le chien qu'Yvonne lui a collé dans les bras pour avoir un peu de paix. Il revient d'ailleurs trois minutes plus tard sous le fallacieux prétexte que « cette pauvre Pépée est fatiguée ».

— Pauvre petite Pépée, elle n'aime pas la promenade. Il y a trop de vent.

On voit mal un Sacha majestueux — mais de mauvaise foi — se promener avec en bout de laisse un petit pékinois qu'il a lui-même baptisé Pépée. On peut être un immense auteur dramatique, à l'imagination luxuriante, et n'en avoir aucune pour les noms de chien !

« Elles sont jalouses », explique Sacha au public, à propos de ses épouses, en ajoutant même à son attention :

— Elles prétendent que je vous suis plus attaché qu'à elles !

C'est presque vrai pour Jacqueline et Geneviève qui n'arriveront dans la vie de Sacha que pour lui éviter d'apparaître, au regard de la société pari-

179

sienne, dans le très mauvais rôle du cocu de l'affaire. Il ne cherche à travers elles — c'est essentiel pour lui — qu'à être celui qui quitte et non pas celui qui est quitté. Elles s'acquitteront l'une et l'autre avec grâce de ces missions délicates — surtout Jacqueline —, car elles ont l'une et l'autre bien des attraits, malgré le caractère irritable de Geneviève, et Sacha a infiniment de goût. Il sait établir avec soin ses distributions. Et s'il les fait jouer au théâtre, l'une et l'autre, c'est que là au moins, dit-il encore au public, « je saurai où elles sont » !

Il en va tout différemment pour Yvonne. Il a dû se résigner à son départ : Yvonne avait rencontré Pierre. Ce n'était plus la petite aventure, l'adultère passade. Yvonne était tombée sous le charme d'un certain Pierre Fresnay. Immense acteur, ex-sociétaire de la Comédie-Française, Pierre Fresnay est déjà très célèbre par le biais du cinéma. Il sera l'interprète de Sacha dès 1927 dans *Un Miracle* (si l'on peut dire !), puis quelques années plus tard dans *Franz Halz*.

Sacha qui avait ignoré, ou voulu ignorer, les entrées furtives dans la vie d'Yvonne d'Henri Garat, vedette cinématographique très populaire et réputé dans les milieux bien informés comme étant une « pointure », ou celle de Jacques-Henri Lartigue, tout aussi peintre que photographe et que Sacha avait naïvement encouragé à faire le portrait d'Yvonne — ce qui les avait incités l'un et l'autre à prolonger les séances de pose —, aurait sans doute voulu ignorer la rencontre Fresnay-Printemps. Hélas ! Ce fut impossible, tant Yvonne était sensible au charme de Fresnay qui subissait lui aussi les sortilèges d'Yvonne et ne le cachait pas ! Il la guettait même la nuit dans les jardins du Champ-de-Mars, dans l'espoir de l'apercevoir quelques instants. « Tout-Paris savait » ! Berthe Bovy, épouse Fresnay, s'était empressée de rapporter à Sacha : « Nous le sommes ! »

Pauvre Berthe Bovy ! J'ai joué avec elle entre 1950 et 1960 dans mes années de Comédie-Française. Toutes nos conversations à propos de théâtre aboutissaient inéluctablement à Pierre Fresnay dont elle continuera à dresser le couvert — dit-on — avec le même espoir secret de retour, tant le souvenir de son infortune restera longtemps vivace et sa détresse profonde.

*

Le temps passera. Sacha écrira alors des choses très dures sur les femmes, c'est vrai. « On les a dans ses bras. Puis un jour sur les bras. Et bientôt sur le dos. » Ou encore : « Patience ! Elles finissent toujours par nous faire une chose qui nous empêche d'avoir de l'estime pour elles. » Mais il ne pensait qu'à une seule en les écrivant. Et c'est bien parce qu'il l'aimait qu'il osait en parler ainsi.

— Femmes, je vous adore et vous feuillette avec respect. J'aime à vous lire encore, jusqu'à vous savoir par cœur. Et je ne fais jamais de corne à mes beaux livres.

Certes, le ton est précieux, presque distant. Il peut apparaître sottement paternaliste aux yeux des femmes d'aujourd'hui. Mais Sacha n'a jamais voulu être un écrivain « populaire ». Il respecte trop le public.

N'est-ce pas encore à Yvonne qu'il s'adresse après cette petite généralité sur les femmes :

— Toi, belle fille, édition populaire, tombée dans le domaine public et dévorée en une nuit, déjà je te remets en circulation. Adieu... demi-chagrin.

Hors de tout contexte, tous ces mots de Sacha semblent horriblement misogynes. « Oui, d'accord, il est adorable ton corps. Tâche d'en être digne. » Mais être trompé au point où il l'a été... mérite tout de même quelques explications et justifie quelque indulgence.

— Le jour où j'ai le plus désiré te mettre sur un trône, tu m'as dit : je ne veux pas vivre en esclavage.

Vingt ans plus tard, il proteste encore et refuse le prétexte de cet enfermement que ses épouses déploraient :

— Vous, dans une cage ? Non ! Dans une vitrine. Avec « défense d'y toucher ».

— Vous en prison ? Légende ! Libres précisément. Libres de rester là deux ans, dix ans, vingt ans à la seule condition de vous y trouver bien, de vous y croire heureuse. Ma porte en vérité n'est fermée qu'aux intrus. Et pour que nulle n'en ignore, j'ai fait graver à l'intérieur « sortie libre ».

Yvonne sortira, enchaînée à Pierre Fresnay pour la vie.

Même si elle est un jour tentée de revenir vers Sacha qui la repoussera, « c'est trop tard ». Si l'on en croit l'histoire, elle se conduira horriblement avec Pierre Fresnay. L'humiliant sans cesse publiquement, lui, l'officier aristocratique de *La Grande Illusion* ! Le jalousait-elle d'un vedettariat cinématographique qu'elle n'atteindra jamais ? Que lui faisait-elle payer ? Sa liberté ? Un espoir de bonheur raté ? Était-ce un jeu érotique et bizarroïde entre eux ? On ne le saura jamais. Yvonne est morte deux ans après Pierre Fresnay en 1977, emportant le secret de leurs échanges. Peut-être regrettait-elle de ne pas avoir attentivement lu *Je t'aime*. Ou bien d'avoir trop tardivement compris Sacha !

— Mes jalousies sont celles d'un amateur fervent qui ne tolère pas qu'on profane ses trésors. Mon égoïsme est celui d'un bibliophile avisé qui ne prête jamais ses livres...

C'est avec beaucoup de gentillesse que Sacha lui reprochait par exemple — ce qu'elle ne supportait pas — un vocabulaire réduit et des incertitudes grammaticales spectaculaires. « J'ai trouvé excellente l'idée qui t'était venue d'apprendre l'anglais. Mais j'aurais bien aimé aussi te voir apprendre le français ! » Ou bien encore à propos de ses fautes d'orthographe innombrables :

— Elle m'avait dit un jour : chéri... est-ce que tu savais que idrogène, oroscope, ipocrite et arpie ne sont pas dans le dictionnaire ?

Tout cela n'est pas bien méchant. D'autant moins qu'il constate que, « pendant les premiers jours, il faut se résigner à s'entendre appeler Jean, Jacques, Fred ou Bobby ». Quand elles s'en aperçoivent, dit encore Sacha, elles en restent confondues. PAS TANT QUE NOUS ! Et de conclure : « Toi, prudente, tu m'as tout de suite appelé "chéri". J'en suis resté confus. »

*

Résumons-nous, Sacha. Les mots les plus rudes que vous avez écrits sur les femmes sont ceux que l'on aime à citer dans les dîners en ville. Ces citations éparses négligent votre drame intime et sont à la fois le meilleur et le plus mauvais service qu'on puisse rendre à votre mémoire. Mais un écrivain est toujours responsable de ce qu'il écrit, et vous-même semblez approuver. « Un bon mot est une chose sacrée. On n'a pas le droit de le garder pour soi. » Vous n'aviez que cette arme à votre disposition — l'esprit — pour dissiper une profonde détresse.

184

Vous en avez usé, entraîné à cet usage dès votre plus jeune âge par votre père et tous ceux « de ses amis ». Entraîné aussi par votre amour des mots. « L'esprit oublie toutes les souffrances, quand le chagrin a des compagnons », dit Shakespeare dans *Le Roi Lear.*

Les compagnons de Sacha, ce sont ses œuvres. Alors il y a...

« Elle s'est donnée à moi. Et c'est elle qui m'a eu ! »

« A l'égard de celui qui vous prend votre femme, il n'est de pire vengeance que de la lui laisser ! »

« Quand nous cessons de les désirer, elles ne savent plus par quel bout nous prendre. »

Mais aussi :

« Comme elle avait parfois des remords, elle s'imaginait qu'elle avait du cœur. »

« Comment les autres hommes peuvent-ils vivre sans toi ? »

Et encore :

« On n'est pas toujours en beauté, mais ne t'en inquiète pas. Tu me plais tellement que, quand il t'arrive de n'être pas jolie, JE TE TROUVE BELLE ! »

Et aussi :

« Il se pourrait fort bien qu'une femme existât qui fut vraiment *la nôtre* et ne fût qu'à nous seul. L'être idéal, venant à nous, lèvres tendues, bras ouverts, et qui nous dise " je suis ELLE ". »

Et enfin...

« On peut bien — au besoin — se passer d'être

heureux, si l'on fait le bonheur de celle qu'on aime. Car la vue du bonheur que l'on donne réjouit l'âme et satisfait la vanité. Mais conserver par-devers soi une femme qu'on ne rend pas heureuse, c'est faire le malheur de deux femmes à la fois : *de celle, tout d'abord, qui pourrait être heureuse entre les bras d'un autre*, et puis de celle aussi qui, peut-être à sa place, elle, serait heureuse et vous rendrait heureux... »

Être accusé de « misogynie » et d'égoïsme ayant écrit cela, n'est-ce pas doublement injuste ?

« Le bonheur à deux, ça dure le temps de compter jusqu'à trois.

« N'est pas cocu qui veut. Et nous ne devons épouser que de très jolies femmes, si nous voulons qu'un jour on nous en délivre. »

Remontons le temps, Sacha, comme en 1938 vous remontiez les Champs-Élysées. Très jolie idée de virtuose que ce film où un « prof de maths » interrompt son cours un certain jeudi de septembre pour raconter à ses élèves l'histoire de ces fameux Champs-Élysées. Vous êtes, bien entendu, ce « prof » insouciant qui se promène dans cette avenue de la France et la raconte à sa manière. Sombre forêt au XVIIᵉ siècle, elle va peu à peu devenir, par la volonté des rois, la voie la plus célèbre du monde où défileront les plus grandes gloires de tous les pays. Apparemment soucieux de vérité historique, vous vous

187

faites un devoir de dénoncer immédiatement une première erreur grossière au cours de cette promenade désinvolte à travers l'histoire de France : en 1938, les enfants n'ont pas classe le jeudi et ne sont pas encore rentrés à l'école en septembre.

> *Mais je prétends que pour jeudi j'ai mon excuse.*
> *Pour mes petits copains, c'était jour de vacances.*
> *Mais il eût été surprenant*
> *Que je m'en fusse souvenu*
> *Car, ce jour-là, dans mon enfance*
> *J'étais toujours en retenue.*

Profitons un instant de cette enfance. Examinons-la.

En juillet 1900, Sacha passe ses vacances chez ses grands-parents à Dieppe. Il a quinze ans. En face de la maison familiale habite une jeune demoiselle dite de petite vertu : de celles qu'on appelait en ce temps-là une « horizontale ». C'est l'été. Il fait chaud. La demoiselle est souvent court-vêtue, entre deux usagers. Bien que très timide (Sacha qui a passé sa vie à se montrer le restera toujours), ce petit Sacha de quinze ans se hasarde, à travers et à l'abri des rideaux de sa chambre, à glisser de temps en temps un œil concupiscent vers l'officine de cette créature divine que le diable propose à sa jeune lubricité. Un soir, alors qu'il s'apprête à se coucher, tous feux éteints chez lui, il l'aperçoit chez elle dans une lumière frêle mais suffisante, vêtue d'un ample manteau de fourrure.

— Tiens ! elle a froid, pense-t-il naïvement. En plein mois de juillet, elle doit être malade.

En réalité, la petite tourmenteuse a déjà remarqué le manège du jeune blondin. Sacha n'a pas le temps de s'attendrir davantage sur une santé fragile que d'un seul coup « l'horizontale » entrouvre son manteau et, d'un sourire engageant, l'invite à contempler les trésors somptueux que la fourrure recelait, « deux jumeaux, deux frères de lait, gonflant leur rigidité ronde, sans l'aide de corset prudent, sachant se tenir dans le monde », dira plus tard Maurice Donnay. Ces somptueux trésors qui lui feront « comme aux innocents les mains pleines » lui apparaissent telle une terre promise ainsi que les ombres d'une forêt soyeuse dans laquelle il ne va pas tarder à se plonger ! Merveilleuses vacances. Sacha aura droit à plusieurs tours de manège... jusqu'au jour où le grand-père, René de Pont-Jest, ayant tout découvert va se faire un devoir d'intervenir. Tel le père Duval réclamant son enfant à Marguerite Gautier, il se rend chez la dame. Malheureusement, la créature n'a jamais lu *La Dame aux camélias*. Pas complexée néanmoins par ce manque de culture, elle invite le grand-père à poursuivre sa requête et la conversation sur un divan que Sacha vient de délaisser. C'est ainsi que, ayant découvert la volupté pour la première fois de sa vie, Sacha sera cocufié pour la première fois de sa vie également par son grand-père ! Il ne lui en gardera nulle rancune, n'en éprouvera ni souffrance ni amertume. Il continuera lui aussi à rencontrer la dame avant de retrouver Paris et sa septième « sixième ».

*

Trente ans après, il n'en va pas de même. Sacha va beaucoup souffrir. Tout d'abord en janvier 1931, il est opéré des hémorroïdes. C'est ridicule mais ça fait très mal ! Quarante-huit heures plus tard, comme pour le consoler, il est promu officier dans l'ordre de la Légion d'honneur. Ce qui lui permet un premier constat — l'esprit, toujours l'esprit : « Le bruit s'est répandu dans Paris que j'avais été opéré. D'autre part, ma promotion dans l'ordre de la Légion d'honneur vient d'être publiée. Si bien que je ne cesse de recevoir des télégrammes contradictoires qui doivent surprendre l'employé des postes. Les uns disent " suis enchanté de la bonne nouvelle ", les autres déclarent " suis désolé de ce que je viens d'apprendre ". »

Oui, l'homme né pour le bonheur continue de rire. Mais déjà en 1929 il a exprimé son chagrin à Yvonne. Dans une pièce bien entendu. Pour l'inauguration du Théâtre Pigalle (remplacé quelques décennies plus tard par un parking — ce qui prouve l'intérêt de la France pour le théâtre et la culture quoi qu'en disent les « politiques »), Sacha a écrit *Histoires de France*. Il est Molière. Yvonne, elle, tient le rôle d'Armande Béjart. Ils viennent de jouer *George Dandin*.

Molière-Sacha : *Pourquoi vous êtes-vous troublée dans notre scène, au début de cet acte ?*

Armande-Yvonne : *Parce que dès les premiers mots vous l'avez jouée sur un tel ton ! Vos pièces ne demandent pas à être jouées avec autant de vérité.*

Molière-Sacha : *Allons donc !*

Armande-Yvonne : *Vous nous dites toujours qu'il faut faire semblant. Vous ne faisiez pas semblant tout à l'heure. Vous étiez à la fois terrible et pitoyable.*

Molière-Sacha : *Pitoyable... vraiment ?*

Armande-Yvonne : *Cela vous fait plaisir ?*

Molière-Sacha : *Je ne déteste pas que vous ayez eu pitié de moi. C'est un sentiment dont je ne vous croyais pas capable. Tu as eu pitié de moi ?*

Notez bien ce « tu » qui arrive soudain comme si Sacha, quittant le rôle de Molière, voulait redevenir lui-même et s'adresser plus directement ainsi à Yvonne afin de se faire mieux comprendre. Et elle comprend.

Armande-Yvonne : *Enfin... j'ai eu pitié de Georges Dandin.*

Molière-Sacha : *Continue... si tu peux.*

Armande-Yvonne : *Pendant le troisième acte ?*

Molière-Sacha : *Après aussi... A LA MAISON. DEMAIN. LES JOURS SUIVANTS. L'ANNÉE PROCHAINE... si tu peux. Je SOUFFRE TANT. SI TU SAVAIS. Oh, il n'est plus nécessaire à présent de me faire souffrir puisque* Le Misanthrope *et* L'École des femmes *et* Dandin *sont terminés.*

Sacha est-il le Molière d'Albert Lebrun ? Pris au jeu, ce Molière-là, celui qu'il joue à cet instant, ressemble trait pour trait au vrai, disant à Célimène-Armande Béjart sous l'habit d'Alceste, au quatrième acte du *Misanthrope :*

> *Efforcez-vous ici de paraître fidèle*
> *Et je m'efforcerai, moi, de vous croire telle...*

Cette année 1931 va être une année cruelle pour Sacha. Cruciale pour Yvonne.

*

> *... J'ai deux amants*
> *C'est beaucoup mieux*
> *Car je fais croire à chacun d'eux*
> *Que l'autre est le monsieur sérieux...*

chantait déjà Yvonne Printemps en 1923 dans *L'Amour masqué,* comédie — que pour la première fois en France on appelait « musicale » — de Sacha

Guitry. La musique était d'André Messager, beau-père de Jacques-Henri Lartigue. Les paroles étaient évidemment signées Sacha Guitry, le premier amant. Le second étant alors Jacques-Henri Lartigue !

C'est le temps où, très épris d'Yvonne — qui selon lui confondait facilement amour et amitié —, Lartigue l'avait peinte — à la demande de Sacha certes, mais — presque nue, vêtue de ses seuls cheveux blonds ! — ce que Sacha ne lui avait pas demandé. Les cheveux blonds d'Yvonne étaient très longs, bien sûr, mais ils laissaient apparaître ses épaules exquisément rondes et une courbe de seins très tentatrice. Lartigue ne fut pas longtemps seul à confondre amour et amitié.

> *...Un seul amant, c'est ennuyeux*
> *C'est monotone et soupçonneux*
> *Tandis que deux... c'est vraiment mieux !*

chantait encore Yvonne.

Soupçonneux, Sacha l'était déjà. Voyait-il Lartigue la guettant aussi en coulisses chaque soir où elle jouait *L'Accroche-Cœur ?* A travers une fenêtre du décor elle apparaissait quelques secondes. Lartigue lui adressait alors de la main des baisers furtifs, n'ayant par bonheur que les machinistes pour seuls témoins.

... Mon Dieu, que les hommes sont bêtes
On les ferait marcher sur la tête
Facilement, je crois
Si par malheur ils n'avaient pas à cet endroit,
Précis,
Des ramures de bois,
Qui leur font
Un beau front
Ombrageux.

Yvonne chante. Messager accompagne. Lartigue peint. Cornard, Sacha écrit. Et quand Yvonne chante ils se rejoignent tous. Prêts à l'admirer, à l'idolâtrer, à tout pardonner. Car elle chante avec une grâce infinie, une malice, une féminité, des sons de gorge si prometteurs, que l'on comprend parfaitement qu'elle ait su mettre à ses pieds ces hommes-là et tout un public aussi enthousiaste et amoureux d'elle que l'est Sacha.

Il faudrait qu'Yvonne Printemps ne s'arrêtât jamais de chanter. Hélas... elle s'arrête, se laissant aller à d'autres chants.

En 1931, huit années ont passé. Elle ne va plus confondre amour et amitié. Cette fois le trouble l'atteint. Elle aussi, comme ses amants, va marcher sur la tête. Autant que le coup de foudre (réciproque) que provoque Pierre Fresnay, trois pièces au moins vont l'y contraindre. D'abord *Franz Halz*, ensuite *Monsieur Prudhomme a-t-il vécu ?*, enfin *Françoise*. Ce n'est plus l'aventure banale, la « passade », c'est la vie qu'on remet en question. Yvonne n'a alors que trente-sept ans. Pierre Fresnay, trente-quatre.

Dans *Franz Halz*, Sacha qui sait tout, mais qui toujours se tait, va trouver un moyen assez diabolique de lui parler. Il écrit, à travers Franz Halz, une pièce sur l'admiration. L'admiration qu'un homme (jeune) porte à un autre homme (plus âgé). L'admirateur, c'est Fresnay. L'admiré, c'est Sacha.

C'est simple. Encore fallait-il y penser.

En 1640, un jeune peintre, Adrien Van Ostade (souvenir de Lartigue), exprime à sa compagne, Annette (Yvonne Printemps), son extraordinaire passion — on pourrait presque dire son idolâtrie — pour Franz Halz, le plus grand peintre de tous les temps que joue évidemment Sacha ! A la fin du premier acte, et comme un avis tout à fait innocent que donne Sacha à Yvonne, Adrien-Pierre Fresnay déclare à Annette-Yvonne :

> *Quand un homme vous a donné*
> *d'incomparables joies*
> *par ses écrits, par sa peinture ou sa musique*
> *C'EST INOUÏ... CE QU'ON LUI DOIT !*

Comprend qui veut. Yvonne comprend.

Et Sacha ajoute, par la voix chaude d'Adrien-Pierre Fresnay :

Si mes baisers parfois te paraissent plus tendres
si je sais t'aimer mieux
si je sais mieux te prendre
un soir, entre mes bras, ne me dis pas merci...
c'est que j'ai vu sans doute un tableau merveilleux
de ce grand homme-ci.

Et un peu plus loin, Sacha-Adrien-Fresnay ajuste encore le tir :

... Eh bien ces êtres-là, ces hommes de génie
nous devons les bénir,
nous devons les aimer, nous devons les servir
sans tolérer jamais que nul les calomnie.

On peut se demander si, en attendant son entrée en scène, Sacha-Franz Halz ne salive pas en coulisses, guettant les réactions de l'une et de l'un. En tout cas, à la première lecture, quand Yvonne et Pierre Fresnay découvrent le texte, j'aurais aimé être présent pour observer les visages. Et surtout le vôtre, Monsieur Guitry.

Vous lisez très vite, comme à votre habitude, d'un ton monocorde. Vous ne regardez évidemment que votre manuscrit. Mais vous éprouvez sûrement ce certain silence jubilatoire que nous éprouvons tous en scène, quand l'attention d'un public se fait plus dense parce que les répliques lui parlent et le touchent en plein cœur.

Au deuxième acte, Sacha-Franz Halz est au travail. Annette-Yvonne pose pour lui. Il l'interroge :

— Tu me détestes ?

Et Pierre Fresnay, au cours de cette lecture du deuxième acte, va devoir entendre ce qui suit...

Franz Halz

Tu peux bien m'avouer que pendant vingt secondes
tu ne m'as pas tellement détesté
Hein... l'autre jour...

Annette

Vous mentez ! vous mentez.
Je n'ai pas un instant cessé de vous haïr
et j'ai crié...

Franz Halz

Oui, de plaisir...
Tu n'aurais pas ce sentiment
mêlé de haine et de fureur
si je n'avais pas su te rendre assez heureuse.

Annette-Yvonne se défend en reconnaissant cependant : « Tous deux vous m'avez fait perdre la tête. »

Sacha avoue alors sa détresse, faisant dire à Franz Halz :

Pense que de nous trois
le moins bien partagé
c'est tout de même
moi.
Et moi, je t'aime.
Penses-y bien.
Et pense aussi que tu t'en vas...
que c'est fini... car c'est fini...
Tu ne reviendras plus ? N'est-ce pas ?

Annette
Non... c'était aujourd'hui
le dernier jour de pose.

Certes, il n'y a pas que cela dans la pièce, mais ces répliques, infiltrées à doses homéopathiques, ont été certainement ressenties de façon particulière par les trois partenaires. Yvonne s'est montrée assez nerveuse pendant les répétitions... on le sait. Ami lecteur ou lectrice, relisez *Franz Halz*, si par hasard je vous en ai donné le goût, vous y trouverez encore quelques traces biographiques des amours de Sacha et d'Yvonne. Comme ce dialogue d'Adrien et de son ami Philippe, peintre lui aussi :

Philippe
Elle est là ?

Adrien

Pas encore...
Annette est comme toi
Mon cher, quand elle sort
Elle rentre très tard.

Les sorties d'Yvonne — à rentrées tardives — pour aller « faire ses courses » dans les magasins où l'on entrait par un grand boulevard pour sortir par une petite rue à l'opposé lui permettaient d'aller retrouver Pierre Fresnay dans un hôtel discret proche du... Printemps — ou des Galeries Lafayette. Sacha ne semble pas l'avoir ignoré.

Philippe

Quelle drôle de voix tu prends pour me répondre
et pour me parler d'elle.

Adrien

J'ai la voix d'un mari
Dont la compagne est infidèle.

Philippe

Quoi ! Qu'est-ce que tu dis ?

Adrien

Je suis joué, Philippe ! Ton ami Van Ostade est cocu.
Bafoué
Et comme le premier venu.

On n'est pas plus clair. On arrive à se demander comment ils ont pu jouer cela ensemble tous les trois. Étant acteur moi-même, je crois pouvoir avancer la réponse. Ils étaient tous trois, d'abord et avant tout, et essentiellement... DES ACTEURS. Et, petit détail supplémentaire : la passion du jeu ! Sacha avait pratiqué, dans sa jeunesse, le poker ! Il lui en reste quelques traces, visibles. On a le sentiment qu'en même temps que son rôle il joue là aussi ses dernières cartes !

Et il conclut, derrière le masque d'Adrien :

Je crois qu'on est jaloux vois-tu...
tous les vingt ans
Vingt, quarante, soixante.

Or, à vingt ans, Sacha vivait avec Charlotte Lysès et à quarante-six il vit avec Yvonne.
A mon avis,
pour les choses du cœur
voilà les trois moments très graves de la vie.
A vingt ans, on se tue !
On tue
l'autre à quarante ! (à bon entendeur, Yvonne salut !)
A soixante... on en meurt.

Mais quand on est né sous le signe du bonheur et qu'on s'appelle Sacha Guitry, on en vit. Et à la question posée par Philippe : « Quel est le sentiment qu'on éprouve à cinquante ? » Sacha-Adrien répond :

200

— On devient philosophe...

— Tandis qu'à trente ? demande encore Philippe.

Adrien
On est en plein travail...
et les peines du cœur passent au second plan.
On est bien convaincu
que le nombre de femmes est illimité
alors... à trente supporter d'être cocu ?
Jamais. Ah non merci ! Plutôt la liberté.

Ils la prendront tous deux cette liberté, plus ou moins bien, plus ou moins mal, chacun de son côté.

*

Sacha, vous achevez la lecture de votre pièce. Adrien a chassé Annette. Mais, malice suprême, vous donnez alors une indication de scène à vos deux interprètes : « Après avoir admiré l'esquisse sublime que Franz Halz a faite d'Annette, " ce sont ses yeux et c'est son geste ", dit Adrien, il comprend que c'est avec Franz Halz qu'Annette l'a peut-être trompé. » Et lorsqu'elle reparaît, il l'interroge une dernière fois :

— C'est... lui ?

Annette fait signe que oui. Elle sanglote. Elle se cache la tête dans les mains. Elle s'éloigne. Adrien alors l'arrête et pardonne d'un mot :

201

— Reste...

Alors « la plus étonnée des femmes », dit encore Sacha, « rentre chez elle, le visage inondé de pleurs », et c'est le :

Rideau.

Voilà pour Franz Halz.

*

Dans *Monsieur Prudhomme a-t-il vécu ?*, Sacha Guitry va plus loin encore. Au cours d'une scène entre Henri Monnier et sa compagne Caroline, il confie à Yvonne le soin de tout révéler de leur intimité et de leur séparation.

— A qui la faute ? demande un personnage.

— A son esprit, répond Caroline. A cette forme d'esprit qui n'appartient qu'à lui, et qui devient exaspérant à la longue, je vous le jure. Quand il commence une phrase, on ne sait jamais comment il va la terminer ! Croyez-vous, Monsieur Gozlan, qu'on puisse apprécier du matin au soir, et d'un bout de l'autre, cette façon glaciale qu'il a de plaisanter sans cesse ? Même malade, il continue à se moquer de tout le monde.

Et comme pour mieux nous préciser sa pensée et qu'il s'agit bien de Sacha Guitry, Caroline ajoute :

— Comment voulez-vous qu'on prenne au sérieux un dessinateur qui fait des pièces, un auteur dramatique qui joue la comédie ! Il faut choisir, voyons !

La scène se poursuit avec le mari, Henri Monnier. Elle permet de comprendre pourquoi Sacha et Yvonne vont se séparer.

Caroline (à Henri Monnier) : *Nous n'étions pas faits pour nous marier. Parce qu'on s'est aimés tout de suite tu m'as épousée... C'était très honnête de ta part... mais c'était une folie, voyons ! Tu aurais dû en épouser une autre et me prendre pour maîtresse. Cela aurait bien mieux valu. C'est un roman d'amour que j'aurais voulu vivre avec toi. J'étais née actrice... j'aurais dû le rester... et vivre en actrice. TU M'AS DONNÉ UN NOM DONT JE N'AVAIS QUE FAIRE... puisque déjà je ne portais pas le mien ! On oublie volontiers son vrai nom de famille, mais pas le nom qu'on s'est choisi... puisqu'on se l'est choisi pour le faire connaître !* (Et ce nom, c'est Printemps.) *Ton travail passe avant tout... je le comprends... Je ne le comprends pas depuis très longtemps... mais je suis en train vraiment de le comprendre... Et je m'incline. Je ne te suis pas vraiment nécessaire. D'autant que, entre nous, tu n'aimes pas l'amour, toi. Je veux dire par là que l'amour dans ta vie ne joue pas un grand rôle... QUE CE SOIT MOI OU BIEN UNE AUTRE, tu t'en moques. Parce que, toi, tu as des joies supérieures que, moi, j'ignore.*

Henri Monnier : *Tu vas tout gâter, ne continue pas.*

Caroline : *Je croyais que tu aimais assez la vérité pour avoir le courage de la regarder en face.*

Henri Monnier : *Oh ! Je n'ai pas autant de courage que toi !* (Un temps.) *Quand t'en vas-tu ?*

Caroline : *Quand tu voudras.*

Henri Monnier : *Ah ! non... C'est toi qui en as eu l'idée. Fais-m'en la surprise. Car je ne te demande qu'une chose, c'est de m'en faire la surprise. Dans huit jours, dans trois jours... ce soir... ou dans un mois... je rentrerai à l'heure du dîner, la bonne s'avancera très émue et me dira...*

Caroline : *Madame est partie.*

Henri Monnier : *Non, Monsieur est servi !*

Et le rideau tombe sur le premier acte. La scène s'achève évidemment sur une boutade. On est et on reste Sacha Guitry, même si on vient d'avouer « j'ai eu envie de pleurer ».

« L'esprit est son état d'esprit habituel, il ne peut pas ne pas être spirituel », dira l'humoriste.

*

En 1932, le 14 mars, Sacha crée au théâtre de la Madeleine *Françoise*, avec Yvonne Printemps dans le rôle titre. Ils semblent y jouer ensemble leur dernier règlement de comptes. Tout ce qui n'a peut-être pas été dit entre eux dans les mois et les années précédents — encore que ce ne soit pas sûr — à propos d'elle et de Pierre Fresnay, il le lui livre alors.

Et il fait très fort ! La critique lui contestera cette sombre échappée vers le drame. Lui, si bien né pour la frivolité et la désinvolture, si doué pour éveiller le sourire et régler les problèmes autour « des mariages d'une heure », pourquoi cette plongée vers une comédie tragico-sentimentale aussi noire ? C'est l'éternelle question posée aux auteurs. Ils sont condamnés parce qu'ils écrivent la même pièce. Ils sont condamnés pour avoir changé de genre. La réponse est pourtant simple. Il y a des problèmes graves qu'on traite avec humour, d'autres si accablants qu'on ne parvient à les atténuer qu'en les couchant sur le papier, tels qu'on les ressent.

Dans *Françoise*, la situation est simple. En manipulant un revolver, Jean s'est gravement blessé. Accident ? Suicide ? Il est aux portes de la mort. Son ex-femme, Françoise, remariée à Michel, finit par lui rendre visite à l'hôpital sur l'intervention de son nouveau mari. Elle a appris par lui que Jean voulait la revoir... avant de mourir.

Jean, c'est Sacha. Françoise, c'est Yvonne. Et Michel... Non ! Ce n'est pas Pierre Fresnay. Il ne devait pas être libre !

Nous voici donc au chevet de Jean dans une clinique de la rue de Varenne. Françoise est assise face à lui. Elle regarde Jean qui repose, les yeux clos. Françoise murmure :

Françoise : *C'est moi, Jean...*

Jean : *Oh...*

Françoise : *Non, non... Ne pleure pas, ne pleure pas...*

Jean : *Tu es là depuis longtemps ?*

Françoise : *Depuis... quelques minutes...*

Jean : *Tu me regardais dormir ?*

Françoise : *Oui.*

Jean : *Il y a longtemps que tu ne m'avais pas vu dormir... Dis-moi, t'a-t-on laissée venir, ou es-tu venue de force ?*

Françoise : *ON m'a laissée venir...*

Jean (déçu) : *Ah...*

Françoise : *Tu aurais préféré que...*

Jean : *Ah oui. Mais enfin... c'est bien aussi. Du reste, IL n'aurait pas pu dire non parce que... tu sais... C'EST MAL DE T'AVOIR PRISE À MOI. Et toi aussi... c'est mal d'être partie... J'ai voulu te voir... parce que je ne suis pas méchant mais tout de même... Tu ne peux pas ignorer toujours ce qui s'est passé... Je faisais tout au monde pour te rendre heureuse... Je m'y prenais mal... Et donc tu as une excuse... Mais quand j'ai vu qu'il commençait à tourner autour de toi... CAR TU SAIS ON VOIT TOUJOURS TOUT. On en voit souvent plus qu'il y en a... MAIS CE QU'IL Y A... on le voit toujours... Alors j'ai voulu être plus malin que les autres. J'AI VOULU EN FAIRE MON AMI parce que je me suis dit... ce qu'il y a de terrible, c'est de ne pas savoir où en sont les choses. Si on savait qu'il n'y a encore rien eu... on couperait les relations. De même que si on savait que le malheur est arrivé... on s'inclinerait... comme je me suis incliné, naturellement. Mais... tu vois... au lieu de me tourner vers toi, JE ME SUIS TOURNÉ VERS LUI... Au lieu de chercher à te reprendre, j'ai tâché d'en faire mon ami. Cela me paraissait plus facile. D'AILLEURS ON NE REPREND PAS UNE FEMME... Elle revient d'elle-même... SI ELLE DOIT REVENIR...*

(Il lui tend la main. Et elle met la sienne dans celle de Jean). *Si je te demandais pourquoi tu m'as trompé, que me répondrais-tu... hein ? Pour quelle raison m'as-tu trompé ?*

Françoise : *Ta confiance.*

Jean : *En toi ?*

Françoise : *Non, en toi-même.*

Jean : *Ma confiance en moi ?*

Françoise : *Oui.*

Jean : *Tu la trouvais trop grande ?*

Françoise : *Oui. C'était comme un défi.*

Jean : *Un défi ! ALORS que je tremblais de te perdre.*

N'allons pas plus loin. Mais quand Sacha écrit : « *C'est avec nos drames que nous écrivons nos comédies. Il nous arrive même d'en écrire qui sont comme des lettres indirectes que nous adressons à nos compagnes..., pour essayer de nous faire un peu mieux comprendre* », il en donne dans *Françoise* la meilleure des preuves. Yvonne Printemps ne s'y trompe pas. D'autant que Sacha prend la chose très au sérieux en 1932 : Jean, son personnage, meurt. Et c'est le personnage

207

d'Yvonne qui est chargé à la fin de la pièce, pour sa réplique finale, d'en faire part ! C'est diabolique !

Au moment des annonces traditionnelles de générale : « La pièce que nous avons eu l'honneur de répéter ce soir pour la dernière fois devant vous est de... », Yvonne Printemps éclate en sanglots. Elle est incapable — comme Lucien au soir de *Pasteur*, mais pour bien d'autres raisons — de prononcer le nom de Sacha Guitry. Comédienne prise à son jeu ? C'est possible, mais je ne le crois pas. Les allusions étaient telles que l'on peut comprendre son émotion. Jusqu'aux piqûres de morphine que l'on administrait à Sacha pour ses rhumatismes et que l'on administre dans la pièce au personnage de Jean pour atténuer sa souffrance.

Un mois plus tard, Sacha fête ses trente ans de théâtre. Tous les invités savent que les deux époux se quittent. La surveillance tyrannique de Sacha est à son comble. Il la fait suivre partout. Pierre Fresnay, de son côté, ne supporte plus d'être séparé d'elle. Ils vivent tous les trois l'enfer des ruptures, de la passion et de la déraison : départs, retours, déchirement de l'amour, déchirement des ratages et de l'exaspération.

Sacha s'est réfugié un temps à la campagne. Il ne veut pas voir partir Yvonne.

Si l'on en croit Fernande Choisel, la secrétaire particulière de Sacha, Yvonne lui recommande, en quittant l'hôtel du Champ-de-Mars, de bien veiller sur lui ! « Talonnez-le... pour qu'il prenne ses médicaments ! » Elle lui en donne même la liste. Elle tient en outre à laisser un souvenir d'elle dans la maison ! Une jupe qu'elle portait le jour où ils se sont vus pour la première fois et que Sacha a gardée comme une relique ! Elle a même le culot ou l'inconscience de lui écrire une lettre. « Sacha, mon Sacha, tu es parti sans un mot, sans rien. Pourquoi ? C'est affreux. Je pars tout à l'heure... J'ai mal, j'ai trop mal. La vie est dure, dure... SACHA, VOUS ÊTES UNIQUE AU MONDE ! »

Étrange conclusion. Étrange contradiction des choses de l'amour. Cela peut paraître insensé, mais c'est ainsi ! Les acteurs sont des êtres d'excès. C'est qu'on ne quitte pas Sacha Guitry aussi facilement qu'on peut le croire. Même quand on est Yvonne Printemps.

Lui est désemparé, profondément touché. Par orgueil, il plaisante au théâtre, mais le silence s'installe dans l'hôtel du Champ-de-Mars. Sacha est de ceux qui n'avouent jamais rien qui puisse porter atteinte au personnage qu'il s'est construit à force de travail et de volonté.

« C'est avec nos drames que nous écrivons nos comédies. » Il continue donc à écrire et à jouer. Il maquille ses sentiments comme il maquille son visage : avec soin. Mais, il lui vient une idée incongrue, une trouvaille théâtrale, ahurissante : pour ne pas perdre la face, il songe à plusieurs comédiennes afin de se faire surprendre en flagrant délit avec l'une d'elles ! Vengeance dérisoire d'un homme qui ne supporte pas d'être « cocu » aux yeux du monde ! Des noms circulent... Heureusement aucune n'acceptera. Alors il trouve autre chose.

Au soir du 14 Juillet, il dîne dans un restaurant très parisien avec celle qui a déjà fait une première apparition dans sa vie professionnelle : Jacqueline Delubac. Yvonne Printemps fait alors irruption au milieu du repas. Par qui a-t-elle été prévenue ? Nul ne le révélera jamais. Mais — hasard ou volonté — la presse le saura : le problème est résolu. La face n'est pas perdue. « Être ou ne pas être... quitté ? » telle était la question. La réponse est donnée : « Je quitte ! » Que peut-on y ajouter ? Que les acteurs sont d'étranges animaux comme le disait déjà Molière trois siècles plus tôt ? Certes.

Toute profession a ses déformations. Ce dîner du 14 Juillet avec Jacqueline Delubac coïncidant avec la prise de la Bastille s'inscrit parfaitement dans la légende Guitry.

*

Le 17, Yvonne quitte définitivement le Champ-de-Mars, non sans lui avoir écrit la singulière lettre qu'on a lue. On emballe son portrait peint par Vuillard. On le monte au grenier. Sacha reste seul.

Seul avec ses pièces et le théâtre, son constant refuge.

Or il ne conçoit pas la vie sans la présence d'une femme. Même si à chaque nouvel amour — il l'avoue lui-même — il se retrouve aussi naïf, aussi candide qu'à sa toute première aventure. Même s'il pense qu'il aurait mieux fait d'épouser une femme laide « car quand on aime une femme laide, il n'y a pas de raison pour que ça finisse ! Au contraire. On l'aimera de plus en plus puisque si la beauté s'altère avec le temps... la laideur, elle, s'accentue » ! En ce mois de juillet, Sacha est seul. Vivre seul peut-être, mais déjà « il se demande avec qui » !

Alors, il téléphone. A Jacqueline Delubac, bien entendu. Elle est à Deauville. Elle répond à son appel. Elle revient à Paris. Et... si Versailles lui était conté, Jacqueline Delubac va découvrir au Trianon Palace de cette ville royale un Sacha Guitry dont elle reconnaîtra plus tard dans un livre — Sacha, lui, ne parle jamais de cela — que l'accusation d'impuissance qu'on lui portait était parfaitement injuste et injustifiée. Ô combien ! Jacqueline correspond-elle à son « imaginaire » ? L'a-t-elle violé ? C'est possible. L'histoire ne le dit pas. Mais elle avoue elle-même « qu'elle s'est sentie débordée de toute part ce soir-là », prouvant ainsi que rien n'a été épargné à Sacha et ne le sera jamais. A aucun égard. On l'a dit pédéraste. A quoi il répondait « c'est une accusation sans fondement... » (Je l'ai dit déjà, mais cela peut se répéter). Jacqueline Delubac semble en apporter le plus heureux témoignage.

Le souvenir d'Yvonne reste cependant si fort en lui qu'il ne réintègre pas tout de suite l'hôtel du Champ-de-Mars. Fin septembre, Yvonne reprend *Mozart.* Il lui envoie une gerbe de roses (ses fleurs préférées... à lui !) avec un petit billet dans lequel il lui fait part de son émotion. Et elle est vraie. L'idée qu'elle reprenne cette pièce que son père l'a poussé à écrire quelques heures avant de mourir — « Fais *Mozart* », ce sont les derniers mots qu'il a alors prononcés — le trouble infiniment. Sans doute garde-t-il à l'oreille le son de la voix d'Yvonne. Et à son esprit monte peut-être ce qu'il écrivait alors sur la musique de Reynaldo Hahn :

> *Depuis ton départ mon amour...*
> *Depuis, hélas, de si longs jours...*
> *Ma pensée ne te quitte pas...*
> *Porte-toi bien*
> *Travaille bien*
> *Mais je t'en prie*
> *quand tu m'écriras*
> *dis-moi que tu T'ENNUIES horriblement.*

Yvonne ne le lui dira pas. Elle n'écrira jamais.
Jacqueline a pris place dans le royaume.
Sacha reprend son activité. Une longue, très longue tournée en France puis, en novembre, Sacha

retrouve Londres avec Jacqueline Delubac. Il y joue *Désiré*, qu'il avait créé en 1927 avec Yvonne. Jacqueline y tient le rôle de la soubrette. Elle a peu répété. Et quand il s'agit de porter le plateau du petit déjeuner — sans que, pendant les répétitions, les éléments du service en argenterie y aient été placés — mais chargé de ces éléments au soir de la première représentation —, Jacqueline s'y prend si bien... que le service d'argenterie s'effondre ! Le lendemain Sacha porte le plateau lui-même, ne laissant qu'une salière d'argent ! Le merveilleux public de Londres s'esclaffe. Le jour suivant Sacha renouvelle le jeu. Malheureusement, à l'instant où la soubrette doit répondre à Désiré : « Madame se déshabille », on entend l'énorme bruit de l'argenterie qui tombe en coulisses ! Devant Jacqueline désemparée, Sacha imperturbable murmure de sa voix sentencieuse :

— Elle doit probablement retirer son armure !

Il est redevenu lui-même. Il écrit, il joue la comédie. Il fait une série de conférences accompagnant des actes joués çà et là, un peu partout. Sept années après la mort de son père, il se présente au public modestement : « Fils du plus grand acteur qui ait jamais existé, je suis l'auteur de quatre-vingt-trois pièces. Assurément j'aurais préféré n'en faire qu'une et qu'elle fût parfaite. La plus grande partie de ma vie, je l'ai vécue pour vous. Ce qui me permet de vous faire ici même une déclaration : je vous aime. » Et il est absolument sincère.

213

En décembre, il réintègre l'hôtel du Champ-de-Mars. Il écrit *Châteaux en Espagne*.

Et, là encore, Sacha, votre singulier génie intervient. Le public va jouer avec vous un rôle particulier, considérable. Ce qu'il a toujours fait et qu'il fera toujours au long de votre vie.

Ce soir-là, vous l'y obligez presque.

A votre première entrée, la salle, comme si elle savait tout de votre infortune — et elle en sait beaucoup —, vous réserve un accueil exceptionnel ! Le plus bel éloge vous viendra d'un jeune confrère, Édouard Bourdet : « *Lorsque M. Sacha Guitry parut, le soir de la répétition générale, la salle entière éclata en applaudissements. Non pas cette salve d'applaudissements qui accueille un acteur connu à son entrée en scène, mais des applaudissements prolongés, insistants, qui marquent une intention et contiennent une allusion. Visiblement le public entendait témoigner sa sympathie au célèbre auteur-comédien, à propos de certains événements récents de sa vie privée, et cette manifestation spontanée, voire un peu indiscrète, avait quelque chose d'émouvant. Mais il a lui-même observé au cours de ces événements trop de dignité et de réserve pour que ce ne soit pas un devoir de l'imiter.* »

Sacha va en être ému jusqu'aux larmes. Comme si au « je vous aime » de ses conférences, qu'il a reçu en plein cœur, le public répondait « MOI AUSSI ! ».

Sacha, j'ai osé dire que votre génie intervenait :

en voici la preuve. La première réplique que vous avez à prononcer après cet accueil — réplique écrite et non improvisée —, c'est :

— Mon Dieu ! Mon Dieu ! Mais qu'est-ce que j'ai fait pour être accueilli de la sorte...

La salle entière éclate de rire et applaudit.

A l'entrée de Jacqueline Delubac — première entrée, premier rôle joué par elle devant ce « Tout-Paris » —, Sacha vous avez écrit :

— J'espère que ça ne vous ennuie pas... que j'aie bon goût !

Et, d'un geste large, vous la désignez au public.

A nouveau la salle entière éclate de rire en vous approuvant, et à nouveau elle applaudit.

De quoi confondre avec de telles répliques l'homme et son personnage. Et même si la pièce, elle, n'est pas géniale — pardon Sacha ! —, elle vous permettra ainsi qu'à votre public de vivre ces minutes exquises d'extraordinaire complicité qui font, elles aussi, les beaux soirs du théâtre. Autant que la représentation de chefs-d'œuvre qui, eux, ont le mérite supérieur de rester présents à jamais dans la mémoire du temps.

Et ce qui prouve aussi à quel point Sacha et Yvonne étaient acteurs avant tout, c'est que, après cette soirée mémorable au théâtre de la Madeleine, Yvonne s'informe auprès de Mme Choisel.

— A-t-il eu du succès ?

— Énorme.

— Je suis bien contente.

Et Sacha déclare à propos du public :

— Ils m'ont applaudi autant APRÈS la pièce pour me récompenser QU'AVANT, pour me consoler !

La vie continue.

*

« Faut-il épouser Sacha Guitry ? » demande un jour Jacqueline Delubac. C'est du moins le titre d'un livre qu'elle écrira vingt ans après la mort de Sacha, en 1976. La réponse est : NON ! Il ne faut jamais épouser un créateur, si on veut vivre une vraie vie de couple pour soi et pour lui. Car pour le créateur, seule compte la création. « L'autre » n'est là que parce que « la vie à deux » est le modèle courant de l'existence dans les sociétés occidentales ! Mais cet « autre » risque alors d'être condamné à n'exister que selon les infortunes de la création, les humeurs du créateur, son bon plaisir et le temps (réduit) qu'il (ou elle) lui accordera. Cet autre vivra « sur coups de téléphone », comme on le dit dans le jargon cinématographique. C'est-à-dire : appelé quand on a besoin de lui.

— Je suis un homme qui pense à autre chose, disait Victor Hugo. Tous les créateurs ne sont pas Victor Hugo, mais tous pensent à autre chose, et tous possèdent la même exigence commune : la soumission à la création. Alors « l'autre » devra se résigner à certaines « négligences »...

Seuls deux créateurs peuvent vivre ensemble. A condition qu'ils posent leurs plumes, leurs pinceaux s'ils sont peintres ou leurs partitions s'ils sont compositeurs aux mêmes heures. Et ça...

Nota bene : il est à observer que ce commentaire sur les « créateurs » s'applique tout aussi bien aux acteurs.

Les treize années de vie commune entre Sacha et Yvonne se termineront donc de façon assez navrante, presque sordide, devant les tribunaux. On se disputera à propos de pension, de bijoux, de cachets non payés, etc. Yvonne ira même jusqu'à demander la moitié des droits d'auteur des pièces de Sacha ! De la scène on est passé au tribunal. Le théâtre aussi a ses changements de décor.

Sacha épouse Jacqueline en 1935. Il a cinquante ans. Elle en a vingt-cinq. « Pourquoi n'en ferais-je pas ma moitié ? » interroge-t-il. Trois ans plus tard, en 1938, cette « moitié » retournera chez sa mère ! Ce sera l'entrée en scène de Geneviève de Séréville, ex-miss Cinémonde. Le manège continue à tourner, et les chevaux de bois de descendre et de monter.

Il faut bien le reconnaître, qu'elles soient Delubac ou Séréville, Lysès ou Printemps, les femmes de Sacha auront connu le même sort. Un sort fait de bonheur, de luxe et de rôles, aux limites plus ou moins vite atteintes. Quant aux autres, toutes les

autres, moins officielles, les « entre deux épouses »,
elles font partie d'une cohorte de beautés non
négligeables, dont la notoriété se révélera et bénéfi-
ciera de la rencontre avec ce monstre d'exigence, de
charme et d'esprit, de faste aussi, que reste, au-delà
de la mort, Monsieur Sacha Guitry.

Il rentre un jour un peu trop tôt dans la loge
d'une de ses « partenaires », Mona Goya. Elle est en
train de mettre son soutien-gorge, avec un peu trop
de lenteur peut-être. Il lui en demande immédiatement pardon, et ressort. Le lendemain, elle trouve
sur sa table de maquillage un ravissant dessin du
maître espagnol avec un petit mot posé à côté :

— Moi aussi je vous offre un Goya.

Toutes ne pourront que reconnaître à quel point
une telle rencontre les a aidées à devenir ce qu'elles
n'étaient pas toujours.

Résumons-nous. En cinq femmes, Sacha a épousé
maman (Lysès), il a cru à une vie conjugale
(Printemps), il s'est choisi une maîtresse spectaculaire (Delubac). Puis il épouse « [sa] fille »
(Geneviève), de trente ans sa cadette. Il en éprouvera vite les désastreux effets. Elle part en claquant
les portes ! « Elle avait l'air de gifler la maison. »
Après leur divorce, il lui permettra néanmoins de
continuer à porter son nom. Ce nom si précieux
à leurs yeux à tous, qu'ils soient Lucien, Sacha
ou Geneviève. Elle deviendra quelque temps
Mme Geneviève ex-Guitry ! Enfin, les illusions per-

dues après la guerre, Sacha épouse sa veuve ! (Lana Marconi), et ça... il le savait.

Une seule exception dans cette galerie de « séduites et abandonnées » ou de déserteuses : Arletty. Elle lui apparaît pour la première fois dans une petite comédie musicale qu'il a écrite, *Ô mon bel inconnu*, dans laquelle on peut trouver ces deux refrains immortels :

Allons monsieur, laissez-moi faire...

et

Mais vous m'avez pincé l'derrière !

Ce n'est pas avec cela qu'on fait une carrière. Mais Arletty va par bonheur monter au firmament des stars, avec d'autres rôles. Elle n'a pas encore conquis Paris ni accroché la postérité avec son célèbre « *atmosphère, atmosphère ! Est-ce que j'ai une gueule d'atmosphère !* », mais Sacha est déjà admiratif de cette Arletty-là. Son visage, son corps et sa gouaille se sont-ils dès lors inscrits à jamais dans sa mémoire ? Ce n'est pas impossible ! Une idée singulière va un jour germer dans son crâne après l'épisode dramatique vécu par l'un et par l'autre à la Libération, en août 1944. Il va lui proposer de former avec elle, sous le prétexte de cette involontaire complicité dans le malheur, un couple dont on parlerait. Un couple tout aussi mythique que celui

219

qu'il formait avec Yvonne Printemps. Mais Arletty est d'une tout autre essence. Au sommet d'une carrière qui l'enchante — sa vie, c'est le cinéma —, elle n'a nul besoin d'arriver. Elle l'est déjà. Elle n'a aucun désir « de vivre avec un monument historique ». Elle trouve Sacha drôle, « rigolo même ». Il la fait rire, mais ce n'est pas un motif d'union suffisant. « Le théâtre vingt-quatre heures sur vingt-quatre... c'est pas pour moi... » Et elle ajoute pour les intimes : « Il ne manque pas d'air ! » C'est qu'Arletty a une excellente mémoire. Elle n'a pas oublié le jugement féroce qu'il a porté publiquement sur un des plus gros succès du cinéma français de l'Occupation, *Les Visiteurs du soir*. Pour lui, ce film culte « *a l'air de la parodie d'un chef-d'œuvre luxembourgeois joué par des domestiques tristes.*

« *Le cuisinier : Fernand Ledoux. Le valet de chambre : Marcel Herrand. Le palefrenier : Alain Cuny. La couturière Marie Déa. Le caviste : Jules Berry.*

« *Et enfin, je l'ai gardée pour la bonne bouche : Arletty. Celle-là a l'air d'une bonne. Mais d'une de ces bonnes dont on dit qu'elles n'ont pas l'air d'être des bonnes.* »

Difficile d'oublier cela...

*

Revenons en arrière. A partir de l'année 1933, après le long délabrement de sa vie conjugale aboutissant au départ d'Yvonne, Sacha Guitry — le travail est son refuge — va s'ouvrir une voie nouvelle, tout aussi royale et tout aussi insolente de réussite dans sa vie professionnelle que celle du théâtre : celle du cinéma. Certes, il a un jour déclaré : « *Allez au théâtre ! Là, les acteurs jouent. Au cinéma, " ils ont joué ". C'est de la conserve. Or si vous ne mangiez que de la conserve, vous seriez vite atteint par le scorbut ! Au théâtre vient " le public ". Au cinéma entre " la foule ".* » (Que dirait-il de nos jours de la télévision ?) Il se dit certain que le cinéma ne peut pas plus remplacer le théâtre que la photographie ne peut remplacer la peinture. Ce qui est incontestable. Cependant il ne peut pas nier que, dès 1915, il a pu montrer, avec *Ceux de chez nous*, grâce au cinéma, tous ceux qui à ses yeux sont la gloire de la France, pendant cette période de la guerre, face à l'arrogance culturelle allemande : Rodin, Monet, Saint-Saëns, Edmond Rostand, Sarah Bernhardt, Anatole France..., si bien qu'après avoir dit « pis que pendre du cinéma », il va brusquement s'autoriser à dire le contraire. Le bénéfice d'une telle versatilité lui apparaissant évident, « le fait de n'attacher qu'une importance relative à sa propre opinion vous confère le droit absolu de n'en attacher aucune à l'opinion d'autrui » !

Fort de cette insolente conviction, il va « faire un

cinéma » identique à son théâtre. Il lance même un avertissement liminaire, une sorte de profession de foi :

« *Au risque de passer aux yeux de quelques-uns pour un homme qui retarde, je déclare bien franchement que je préfère la beauté à la laideur, la santé à la maladie, la bonne éducation à la vulgarité, et la gaieté à la tristesse.* »

Et pour s'assurer d'être parfaitement compris, il la complète à sa façon :

« *Je trouve que depuis les succès considérables et mérités de* Quai des Brumes, *de* Pépé-le-Moko, *et de* Goupi Mains-Rouges **, nous sommes un peu sursaturés d'espadrilles, de chandails, de coups de poing dans la gueule, d'alcool, de cocaïne et d'argot de commande.* »

Comme quoi il n'y aurait peut-être rien de nouveau sous le soleil.

Mais cette rude franchise, c'est le moyen le plus efficace de se faire — et pour longtemps — de solides inimitiés.

*

Sa première grande rencontre avec le cinéma, c'est *Pasteur*. Et voici comment il présente le film au soir de la première, au casino de Biarritz, le 13 août 1935 :

---

* Réalisés respectivement par Marcel Carmé en 1938, Julien Duvivier en 1936 et Jacques Becker en 1942.

Mesdames et messieurs, voilà bientôt dix ans
que je parcours la France et l'Europe en disant
pis que pendre du cinéma.
Ah ce ciné !
Je l'accusais d'abord de nous assassiner !
Et nul jamais ne s'exprima
d'une manière plus brutale à son égard.
Et voilà que sans crier gare,
sans réclamer votre indulgence,
je parais aujourd'hui même sur l'écran !
Serais-je inconscient ou bien ai-je du cran ?
Non, ce n'est ni du cran ni de l'inconscience...
Et je ne risque pas grand-chose en vérité.
Qu'ai-je dit du ciné ? J'ai dit que les acteurs
même ceux possédant le plus d'habileté
perdaient au cinéma beaucoup de leur valeur.
Je m'expose ce soir à la comparaison.
Mais je risque fort peu je le répète encore
si vous me trouvez bien : je veux bien avoir tort...
si vous me trouvez mal : c'est que j'aurai raison !
Au sujet de ce film, je parle de Pasteur,
là je m'en vais courir un risque véritable
risque mortel pour un acteur
et redoutable
pour un fils.
Et vous partagerez mon sentiment, j'espère
Car vous savez que c'est mon père
qui le créa
jadis.

223

Mais il me plaît assez
de le courir, ce risque-là...
Puisque certainement
c'est à Lucien Guitry que vous allez penser
ce soir en m'écoutant.
Et c'est tant mieux
Si grâce à moi vous y pensez.
Le contraire serait affreux
car même en admettant l'impossible à l'instant
comme il serait pénible, injuste et singulier
que ce soit moi, son fils, qui le fasse oublier !

Quelques semaines plus tard il présentera *Pasteur* aux enfants des écoles. Il estime à ce sujet qu'il n'y a pas de plus grand honneur que de parler à des enfants. Voici ce qu'il leur dit alors après avoir évoqué celui qu'il considère comme un des plus grands génies qui aient existé :

« ... *Vous ne pouvez pas tous espérer que vous aurez plus tard du génie. Mais je voudrais que vous compreniez ceci : c'est qu'on peut être un menuisier, un peintre, un architecte, en encadreur, un ouvrier, un savetier, un poète, un médecin, un avocat, et adorer son métier et réussir : réussir à être heureux. Je ne suis pas vieux et je vous donne ma parole d'honneur que la seule chose qui puisse, infailliblement, vous donner le bonheur, c'est le* travail. »

Ça ne donne pas de si mauvais conseils, les anciens cancres « amateurs de rire et d'évasion » dont les manuels scolaires ne citent pas même le nom.

Pasteur sera cependant à l'origine du drame que Sacha va vivre en août 1944 jusqu'en août 1947.

Et bien au-delà, jusqu'à sa mort.

Les personnes qui ne seraient pas de mon avis n'auraient qu'à se dire une chose : c'est que l'on peut avoir deux avis différents sur une même question.

Sacha a joué toute sa vie. J'entends par là qu'il a accordé aux jeux de hasard — le poker et surtout la roulette — une place très importante. Il s'en accuse et s'en excuse en dénonçant ce défaut comme une qualité : la fidélité. « Depuis des années, je joue à la roulette les mêmes numéros. Le 35, le 3, le 26, le 0 et le 32. On appelle cela jouer les voisins du zéro. » Et Sacha joue ainsi pour deux raisons. Ou bien l'un de ces numéros vient de sortir. Ou bien aucun n'est sorti. Donc le raisonnement est le suivant :

— Si l'un d'eux vient de sortir, c'est QU'ILS SONT en train de sortir ! Profitons-en ! Ou bien aucun n'est sorti, donc ÇA VA ÊTRE À EUX maintenant. Profitons-en...

Depuis trente ans, Sacha se tient ce même raisonnement stupide. Et il perd ainsi avec une désolante
régularité. Ce qui le console c'est qu'il n'est pas le
seul à jouer ainsi comme un idiot. De temps en
temps, lassé de la roulette, il se replie vers la belote !
Sacha joueur de belote ! Difficile à imaginer. Et
pourtant, c'est le seul moyen selon lui de se substi-
tuer au hasard. Par bonheur, il va en trouver un
autre : faire un film sur le jeu. Ce sera *Le Roman
d'un tricheur*. Le sujet : un enfant de douze ans a
volé huit sous dans le tiroir-caisse de ses parents,
commerçants, pour s'acheter des billes. Ce jour-là il
y a un plat de champignons pour le déjeuner. Mais
« puisque tu as volé, tu seras privé de champignons ! » s'exclame son père. Les champignons sont
vénéneux. Chaque membre de la famille s'éteint
l'un après l'autre, inexorablement. Sauf l'enfant de
douze ans. Il tient dès lors sur la justice et sur le vol
un raisonnement un peu paradoxal :

— Je suis vivant parce que j'avais volé. De là à
en conclure que les autres sont morts parce qu'ils
étaient honnêtes... euh...

Il n'y a qu'un pas, certes, que Sacha franchit avec
allégresse. Car il va faire du cinéma comme il fait
toute chose : très soigneusement, mais au gré de sa
seule fantaisie. Sans barrières, sans souci des règles.
D'ailleurs, y a-t-il des règles au cinéma ? Il y a des
budgets, à respecter ! C'est tout. Seule la réussite le
guide. Le goût de plaire et l'espoir du succès. Sans

autre arrière-pensée que de lui permettre — comme au théâtre — de remplir sa mission au mépris des coutumes et des conventions : aider ceux qui verront ses films à être le moins malheureux possible, à ne se résigner en quelque sorte qu'au bonheur. Comblé par le destin qui lui apporte cette possibilité nouvelle d'expression, Sacha n'aura jamais d'autre souci.

Contraintes techniques mises à part — dont il se moquera toujours —, le cinéma est pour lui un art où il se sent libre. A l'image de ses pièces, qu'après sa mort notre temps redécouvre sans cesse, il va faire de son cinéma une fête brillante où le public se presse, enchanté. L'homme à qui tout réussit — sauf sa vie sentimentale — ne va jamais se gêner pour s'adresser avec rudesse au monde du cinéma qui va le dénoncer très vite, le stigmatiser, comme un fabricant de « théâtre filmé ».

Cela dit, on ne peut pas prétendre à l'indulgence d'un milieu, quel qu'il soit, quand on le rejette en lui écrivant : « Je n'attache d'importance qu'aux opinions que j'ai sollicitées ! » Plus tard Sacha confirme : « Je ne suis pas en très bons termes avec le monde du cinéma. Je dois dire que j'ai tout fait pour cela. Je ne suis d'ailleurs en bons termes avec aucun monde. J'aime trop l'amitié, la tendresse et l'amour pour avoir " des relations " ! La camaraderie ne me dit rien qui vaille. *J'ai toujours fui les clans*, les cliques et les petites chapelles. On m'a beaucoup reproché de faire filmer des pièces que j'avais jouées *sans en changer un mot.* Je me félicite de l'avoir fait. Je sais bien que cela exaspère le monde du cinéma. Mais je ne suis pas venu sur terre pour respecter ses lois. Les pièces filmées sont un témoignage formel de la volonté de celui qui les a écrites. Il est d'ailleurs tout à fait regrettable qu'on n'ait pas enregistré TOUTES les pièces marquantes qui ont été représentées à Paris depuis la création du cinéma parlant. »

Est-ce si sot ? Avouons en tout cas que le style « langue de bois » lui est parfaitement étranger.

Il va donc être le premier à porter à l'écran certaines de ses pièces : De *Mon père avait raison* au *Nouveau Testament,* de *Faisons un rêve* à *Deburau,* etc.

Ces films, Sacha, vous les tournez en une semaine ! Ou en dix jour, et parfois moins encore. Comment pourrait-on *vous* prendre et *les* prendre au sérieux ? Pourtant, là encore, vous êtes un précurseur. Vous inventez des génériques nouveaux. Cette présentation de vos personnages et de vos interprètes fera école. Désormais la succession des cartons plus ou moins ornés sur un fond neutre laissera place à des images vivantes. Comme une sorte de préface à l'action générale, permettant aux spectateurs d'être immédiatement « dans le coup ». Voici, par exemple, comment l'écran s'anime sur *Désiré,* l'une de vos « pièces filmées » que vous présentez ainsi dans les médias dont vous avez également l'art d'accrocher l'attention. « S'il me fallait résumer *Désiré* en quelques lignes, je dirais que c'est l'histoire d'un homme dont le physique, l'assurance et la profession, précisément héréditaires, ne sont pas tout à fait en accord avec ses goûts et sa mentalité. Fils, petit-fils, arrière-petit-fils de domestiques, il éprouve à obéir une véritable volupté, et d'ailleurs il le dit lui-même : *servir, c'est quelque chose de merveilleux. C'est avoir le droit d'être sans volonté...* »

Voici donc le générique qui se déroule sur l'écran devant le spectateur.

Une main inscrit sur une portée musicale :

DÉ.SI.RÉ.

Sacha, vous apparaissez alors à l'écran en costume de ville.

— Mesdames et messieurs, le film que nous allons avoir l'honneur d'interpréter devant vous est *de votre serviteur.*

C'est en valet de chambre, gilet rayé, pantalon noir, qu'on vous voit revenir à l'écran.

— Veuillez, s'il vous plaît, venir avec moi feuilleter cet album.

Ce domestique, que vous incarnez, ouvre un album de photos.

— Voici Madame...

On voit le visage de Jacqueline Delubac.

— Voici Monsieur...

On voit celui de Jacques Baumer.

— Voici M. Corniche...

C'est l'irrésistible Saturnin Fabre.

— Et Mme Corniche, tous deux amis de Monsieur et de Madame.

C'est Alice Delonde, qu'on voit alors avec Monsieur et Madame.

— Et nous voici maintenant tous les trois...

Se succèdent alors les visages d'Arletty, délicieuse femme de chambre, de Pauline Carton, pittoresque cuisinière, et de vous-même, Sacha, Désiré, valet de grand style portant le plateau du petit déjeuner. Il y a aussi, dites-vous, un monsieur qu'on ne voit pas dans le film (vous le montrez). C'est un compositeur (Adolphe Borchard est au piano), M. Adolphe Borchard, et la musique que vous entendez en ce moment est de lui.

Vous présentez alors tous les techniciens qui ont participé à la qualité du film...

— Il faut aussi que je vous dise un mot d'un nommé M. Bachelet, parce que c'est lui qui a éclairé le film. On appelle ça un opérateur. Et ce serait une injustice de l'oublier, car c'est un homme très remarquable. Quant à M. Gernolle, qui a enregistré le son, en voilà un aussi, tenez, qui mérite bien des compliments ! Et puis, ma foi, pendant que j'y suis, je ne sais pas pourquoi je ne vous dirais pas aussi que la script-girl s'appelle Jeanne Etiévent, que la monteuse s'appelle Myriam, que nous étions assistés en outre par M. Gilles Grangier, tandis que Guy Lacourt tenait l'emploi d'administrateur général.

Quant aux décors, je pense que vous avez deviné qu'ils sont de M. Jean Perrier.

Voilà. J'espère n'avoir oublié personne. Et maintenant, mesdames et messieurs, il ne me reste plus qu'à vous souhaiter de passer un agréable moment en notre compagnie.

On entend le bruit d'une sonnette.

Une voix. — *Désiré !*
Désiré. — *Je viens, je viens ! Voilà ! Voilà !*

Vous sortez de l'écran. Le film peut commencer.

C'est neuf. C'est efficace. C'est élégant. C'est Sacha ! Le spectateur est immédiatement plongé dans l'action. Il est mis en appétit, en condition, prêt à vivre pendant quatre-vingt-dix minutes la vie de ces personnages qui viennent, avec tant de grâce, de lui être présentés.

Il faudra attendre vingt ans et la mort de Sacha pour qu'une voix s'élève en sa faveur et en faveur de ce cinéma que de nos jours on appelle le « cinéma de papa ».

François Truffaut, exigeant représentant d'un cinéma nouvelle vague, avoue : « En 1945, j'avais treize ans. A cette époque, *Le Roman d'un tricheur* était déjà vieux de huit ans. Mais il était plusieurs fois par an à l'affiche du cinéma Champollion, au

quartier Latin. Je l'avais déjà vu une dizaine de fois.
J'en connaissais par cœur le commentaire. » Et
Truffaut confesse que la voix de Sacha le grise,
comme le ferait une partition musicale. Un jour,
une crise familiale l'amène à quitter sa famille. Il
part chez un copain et dépose un petit billet sous sa
porte : « *Je suis obligé de me sauver de chez moi. Il
faut que tu m'aides à trouver un endroit où dormir.
En attendant, je vais au Champollion, on y donne*
Le Roman *d'un tricheur. J'y serai toute la journée.
Rejoins-moi là-bas dans la soirée.* »

Ce jour-là, François Truffaut va voir le film au
moins deux ou trois fois.

A la même époque, une jeune lycéenne qui
l'aimait s'efforçait de lui faire partager sa passion
pour *Les Nourritures terrestres,* de Gide. Trente ans
plus tard, quand il écrit cet article sur Guitry,
Truffaut n'éprouve pas, pour cette déclaration :
« Famille, je vous hais ! » contenue dans le livre,
plus d'intérêt qu'à l'âge de l'adolescence — ravi de
voir que quelques-uns d'ailleurs partagent cette opinion sur ce qu'Emmanuel Berl appelle un des plus
mauvais livres de la littérature française : « Came-
lote nietzschéenne enrobée de vaseline protes-
tante. » Berl avait publié *Le Roman d'un tricheur,*
mais le puritanisme rive gauche de la NRF n'accor-
dait aucun crédit à cette œuvre de Sacha !

Pour Truffaut, c'était une injustice. Et concluant
sa défense et illustration de l'œuvre cinématogra-

phique de Guitry, il va plus loin encore : « Il n'est pas moins indécent, dit-il, de grouper des œuvres que des hommes. Les classifications telles que " théâtre de boulevard ", " théâtre d'avant-garde ", sont du racisme au même titre que les généralités sur les Juifs, les Nègres, les bourgeois ou les concierges ! »

Ce commentaire aussi rude que franc date d'octobre 1977 ! Rien n'a changé depuis, hélas ! Les polémiques se développent toujours de la même façon, tant autour du Festival de Cannes et de la sélection élitiste des films français que durant les ennuyeuses célébrations des César ou des Molière, d'où semble exclu le bonheur du spectateur.

Truffaut, tout comme Guitry, parle du cinéma comme d'un refuge. Et quand il est habité par Sacha ou Chaplin, lui aussi s'y sent bien au chaud, confortable, protégé.

Cette comparaison entre Chaplin et Guitry peut paraître excessive. Elle est le résultat d'une réflexion de Sacha : « Je considère Charlie Chaplin un peu comme Mozart. Pour une seule raison : lorsque Mozart est venu au monde, il est venu au monde entier. Or il en a été de même pour Charlot, cet acteur italien né sans doute en Angleterre qui s'est réalisé lui-même en Amérique et dont les arrière-grands-parents s'appelaient peut-être Chapelain... » Ajoutons qu'il n'est pas de pays qui puisse revendiquer raisonnablement cet artiste incomparable car il leur appartient à tous. Sacha — au cœur même de sa disgrâce — prendra la défense de Chaplin quand l'Amérique lui aura fermé ses portes.

« Que lui reproche-t-on ? Ses opinions politiques ? En voilà une idée ! Alors qu'il est déjà si difficile de croire aux opinions politiques des hommes politiques... »

Bref ! Ne nous transformons pas en critique cinématographique. Les films de Guitry sont à la disposition de qui veut les voir. Et de qui les voit, grâce à la télévision. Son « théâtre filmé », comme ses films de divertissement, ses films historiques, comme plus tard des films aux scénarios très noirs, révélant une tout autre forme d'esprit : celui que Sacha a légué à Guitry après les événements douloureux des années d'après-guerre. Il les commente et se définit ainsi en quelques vers, chantés par Mouloudji, dans *La Vie d'un honnête homme* qu'il réalise en 1953.

> *Mais bien qu'il y ait*
> *tant de méchants*
> *qui vous envient*
> *et de salauds*
> *on ne peut pas passer sa vie*
> *à s'foutre à l'eau !*
> *Et plus qu'les autr' il y a soi-même*
> *sur qui on ne peut guèr' compter,*
> *et l'on finit par récolter*
> *tout' les sottises que l'on sème !*

Mais bien qu'on soit
son pire en'mi
dégoûté d'soi
et de son lot
on ne peut pas
passer sa vie
à s'foutre à l'eau... !

*

Si Versailles m'était conté sera pour Sacha Guitry l'occasion d'une éclatante réhabilitation — enfin — au cours d'un gala à l'Opéra en présence du président de la République, René Coty, le 15 décembre 1953.

Le film, joué par les acteurs les plus prestigieux de Paris et d'ailleurs, d'Orson Welles à Brigitte Bardot, et dont une partie des bénéfices ira au château de Versailles, est accueilli triomphalement par le public de cette soirée de première.

Hélas ! la joie de Sacha sera de courte durée. Le film est impitoyablement critiqué en raison de ses erreurs historiques. On n'est pas encore capable d'admettre que *Si Versailles...* et les films de Sacha où l'Histoire tient le rôle principal annoncent en quelque sorte l'arrivée des futures bandes dessinées. Et que, vus par la jeunesse, ces films lui permettront une simple et une première approche divertissante de ces événements passés qu'on appelle l'Histoire.

Mieux vaut en avoir, me semble-t-il, la vision libre et légère de Sacha que de n'en avoir aucune.

Metteur en scène de théâtre qui, de nos jours, présentez les œuvres classiques en veston ou en jeans, que diriez-vous si, en jugeant votre travail, on parlait d'erreurs historiques ?

Sacha s'inquiète-t-il de ces reproches ? Il s'interroge en tout cas.

— Suis-je un historien ? Oui. Mais à la façon d'un peintre. Historien comme le fut David, composant son tableau *Le Sacre de Napoléon,* où l'on voit trônant au centre Madame Laetitia alors que notoirement la mère de l'Empereur était à Rome, ce jour-là. Son absence est un fait. Il est même historique.

Elle désapprouvait sans doute ce couronnement de Joséphine. Alors que David estimait, lui, que sa place aurait dû être au couronnement.

Et puisqu'il faut parler d'erreur historique à propos de *Si Versailles m'était conté,* Sacha, qui décidément ne supporte pas que la critique lui gâche son plaisir et peut-être aussi celui du public, toujours influençable dans ces cas-là, écrit : « Nous tournions une scène entre le roi et Mme de Montespan au cours de laquelle je lui disais : " Je vous garde à Versailles et vous exile dans les combles. " »

Ayant achevé cette séquence, Sacha va fumer une

cigarette à l'écart du plateau, dans la cour de marbre de Versailles. Gérald Van der Kemp, conservateur en chef du château de Versailles, vient le rejoindre et lui signale une petite erreur « oh pas dramatique ! » mais tout de même...

— Mme de Montespan n'a pas été exilée dans les combles, murmure-t-il prudemment à l'oreille de Sacha, mais bien au rez-de-chaussée de l'aile droite du château.

A quoi Sacha, plus Louis XIV que le roi lui-même, répond :

— Le roi n'avait-il pas assez d'indépendance pour revenir le lendemain sur une décision prise la veille ? Et il ajoute : d'autre part... « je vous garde à Versailles et vous exile dans les combles » me semble une meilleure réplique que « je vous garde à Versailles et vous exile dans l'appartement, situé au rez-de-chaussée, de l'aile droite du château » !

Gérald Van der Kemp s'éloigne en souriant...

Si l'on ajoute que Sacha avait fait descendre le grand escalier de Versailles à la fin de son film — idée géniale — par Louis XIV et Clemenceau qui ne s'étaient pourtant jamais rencontrés — si la mémoire ne lui faisait pas défaut —, « c'était là une erreur historique, reconnaissait Sacha, que personne ne semblait avoir dénoncée. Alors... ».

Sacha, ce n'est évidemment pas en ironisant de la sorte qu'on se fait des amis. Et c'est aussi un peu pour cela que je vous aime. Il semble que vous ayez très souvent — trop souvent peut-être — mis en pratique cette remarque d'Henri de Montherlant : « Se faire des amis est une obligation de commerçant. Se faire des ennemis est une occupation d'aristocrate ! »

Ce « seigneur des lettres » était né un peu plus de dix ans après vous, en 1896. On dispersera ses cendres sur le forum de Rome quinze ans après que vous eûtes quitté un monde où l'on joue beaucoup plus vos pièces que les siennes ! Tant il est vrai, vous le savez maintenant Sacha, que l'univers du spectacle est fait d'injustices compensées. Et je crois bien que vous aviez raison en donnant ce précieux conseil — entre autres — à un fils que vous n'aviez pas eu, afin de le guider peut-être ou de le rassurer sûrement :

— Sois de ton temps, jeune homme. Car on n'est pas de tous les temps... si l'on n'a pas été d'abord de son époque.

*

Avouez, Sacha, que vous ne détestiez pas agacer les historiens, ne serait-ce qu'en bousculant parfois la chronologie. D'autre part vous n'hésitez pas à affirmer que présenter à un enfant des dates, des guerres, des révolutions, des pillages, TOUS LES MALHEURS QUI ENCOMBRENT L'HISTOIRE D'UN PAYS, sans contrebalancer ces horreurs par d'autres faits, est une sorte de crime !

« *Si vous croyez devoir apprendre à vos enfants que les Français furent défaits à Pavie en 1525, faites-le. Mais qu'ils sachent aussi qu'en cette même année Rabelais concevait son* Pantagruel, *tandis que s'élevait le château de Chambord...* »

Vous étiez vraiment né pour le bonheur, Sacha !

Merci, gendarme paternel, merci, gendarme avec pitié, qui, me considérant comme un enfant, m'avez dit : « Donnez-moi vos menottes. »

Le 23 août 1944 au matin, Sacha Guitry est arrêté. Deux jours AVANT la Libération. Pourquoi ?

Pourquoi ? Alors qu'on se bat dans Paris, avec des armes dérisoires, revolver au poing et fusils d'un autre âge !

Pourquoi ? Alors que ce panache « à la française » se manifeste d'heure en heure, de plus en plus et un peu partout.

Pourquoi ? Alors que de jeunes Français sont fusillés au bois de Boulogne, près de la Cascade, que Sacha aurait pleuré, comme nous tous, s'il l'avait su !

Pourquoi ? Alors que les Allemands qui défendent Paris ont compris que le rêve de Hitler d'un « pouvoir pour mille ans » s'envole, mais qu'à l'abri de quelques chars et de voitures blindées, ils s'efforcent, dans un ordre apparent, de détruire les barricades hâtivement érigées !

Pourquoi ? Alors que les premiers drapeaux français fleurissent aux balcons, qu'on enlève précipitamment dès que surgissent quelques soldats « chleuhs » tirant sur tout ce qui bouge !

Pourquoi ? Alors qu'en ce 23 août au matin Hitler interroge encore, et pour la dixième fois, le commandement allemand de von Choltitz « Paris brûle-t-il ? » et que cette catastrophe pourrait survenir... ce qu'à cette heure les Parisiens ignorent !

Pourquoi ? Alors que chacun se prépare au bonheur d'une délivrance attendue depuis quatre ans de faim, de malheurs, de dénonciations, de privation de liberté pour certains, d'horreur pour d'autres, porteurs ou non de l'étoile jaune, qui peu à peu ont connu l'ignominie des camps de la mort !

Pourquoi arrête-t-on cet homme ami des princes et des rois que tant de chefs d'État veulent connaître, adulé par Paris, admiré en Europe et à New York, adoré par les uns ou haï par les autres comme si le sort de la France, de Paris, ou de la guerre, loin d'être terminée, en dépendait ?

Pourquoi l'arrête-t-on avec une telle soudaineté ?

Casqué comme en 1914-1918, le jeune Alain Decaux, qui l'a connu auparavant, sera témoin, quelques heures plus tard, de cette urgence. Et seule faveur de ce jour-là, chargé de garder en tant que secouriste, pendant quelque temps, la maison musée et les trésors qui s'y trouvent !

Qu'a donc commis le « Molière d'Albert Lebrun », hier fustigé et stigmatisé par la Radio de Londres comme collaborateur, condamné à mort sur une liste noire en août 1942 par le magazine américain *Life* au même titre que Laval, Pétain, Darlan... Maurice Chevalier, Georges Carpentier et Mistinguett ! Il en a ri en ce temps-là, « s'appeler *Life* et condamner à mort... ! », mais en ce 23 août, Sacha n'a plus envie de rire.

Pourquoi va-t-il à partir de là vivre des années d'amitié trahie, de lâcheté, voir de près, devenu infréquentable aux yeux de beaucoup, des visages de gêne ou de peur, jusqu'à recevoir des lettres d'amis déguisant leur écriture ! Cette humiliation, qu'il dissimulera sous son masque habituel d'impassibilité, d'humour et d'orgueil qu'on voudra si souvent confondre avec la vanité — « la Libération ? J'en ai été le premier prévenu » —, le laissera néanmoins ahuri, amer et définitivement désabusé sur la nature humaine. Lui qui croyait naïvement — comme tant de Français — qu'étaient enfin réunies par la défaite allemande deux volontés politiques, incarnées par un vieux maréchal illustre et un jeune général de cinquante ans, inconnu en 1940, mais dont la voix chaque jour était une promesse d'espérance, comment en était-il arrivé là ?

Fallait-il qu'il ait une « tête aussi peu politique » pour ne pas comprendre ce qu'il payait, injustement ou non ? En avril 1944, Pétain n'était-il pas reçu à Paris à l'Hôtel de Ville, précédant de Gaulle de quatre mois, sous les acclamations du bon peuple de Paris ? Comment Sacha aurait-il pu imaginer et admettre, enfermé au Dépôt, tandis que toutes les cloches de Paris et le bourdon tout proche de Notre-Dame sonnaient la Libération au soir du 24 août, que le nouvel équilibre de la France devait commencer par des règlements de comptes immédiats entre Français, appelés pudiquement « épuration », alors qu'il n'a jamais cessé de proclamer son amour de la France et qu'un bref coup d'œil sur son dossier lui permettra d'entrevoir, quelques jours plus tard, au motif de son arrestation : « IGNORÉ » ?

Quelle que soit la manière dont on estimait son activité durant cette période qualifiée de nos jours si souvent « d'insaisissable », justifiait-elle une semblable précipitation ?

*

« *Aimer Paris rend orgueilleux,* avez-vous écrit, *car il vous devient à ce point nécessaire qu'on en arrive à croire qu'on peut lui être utile.* »

Remplaçons Paris par la France, si vous le voulez bien, Sacha : « Aimer la France rend orgueilleux,

244

car Elle vous devient à ce point nécessaire qu'on en
arrive à croire qu'on peut lui être utile. »

N'est-ce pas là ce sens de l'orgueil qui vous a
perdu ? Ajoutons-y votre insolente lucidité, « il n'y
a de véritable haine que confraternelle », vous ne
pouvez pas vous étonner d'en avoir subi les effets.
Quarante années de succès ont chauffé la machine
à blanc. Trop exigeant peut-être en amour, en amitié pour vous intégrer à des groupes et vous faire
des relations ultimes avant cette libération, vous
allez subir les conséquences de la volonté d'« être
utile ». Il y a des gens qui ne sont pas nés pour être
utiles. Des gens dont la vocation n'est pas de « rendre
service ». Isolé, séparé de tout et de tous par la création, vous êtes de ceux-là. Comme tous les créateurs,
Sacha.

Paradoxe : c'est en luttant contre votre paresse
naturelle que vous êtes devenu, disiez-vous, un travailleur acharné ! Autre paradoxe : c'est en luttant
contre la naturelle propension à l'égoïsme du créateur que — pensant « être utile » — vous êtes, sans
le savoir, devenu collabo ! Or, quelle est la conclusion d'un livre qui vous a été tellement reproché,
De Jeanne d'Arc à Philippe Pétain, titre que le Maréchal lui-même, on l'a vu, vous a déconseillé, même
si vous le complétiez par « de 1492 à 1942 » en
vous amusant de cette inversion des chiffres : « *Pré-
parons à la France un passé magnifique en n'aimant
qu'elle au monde, en travaillant pour elle, en lui don-*

*nant bien mieux encore que notre vie : NOTRE EXIS-
TENCE QUOTIDIENNE.* » Ce n'est pas là un langage de
traître. Mais unir l'image de la sainte héroïne qui a
bouté l'Anglais hors de France à celle du vieux
héros symbolisant la défaite — et qui en 1942 précisément, quand les Allemands envahissent la zone
libre, aurait dû en tirer les conséquences —, si elle
est une marque de votre fidélité au vainqueur de
Verdun, relève tout de même de l'inconscience ou
de la provocation. Et divers retards font qu'à l'heure
où paraît cet hymne à la France, les premiers signes
de la Libération apparaissent aussi. C'est pas
d'chance !

Cette France-là, Sacha, c'est la France de Vichy.
Elle n'a plus aucun titre à l'indulgence en août
1944 ! Même si c'est la France des braves gens qu'on
a trompés — « nous vaincrons parce que nous
sommes les plus forts » et « s'il faut un miracle, je
crois aux miracles » —, c'est la France d'une armée
qui en cinq semaines s'est repliée bien que « la
route du fer ait été coupée » de la Norvège et des
Ardennes jusqu'à Bordeaux ! Une France alors
hébétée, écrasée par ce désastre, au bord du gouffre
parce qu'on l'a trompée, qu'on la trompera toujours, qui *se* trompera toujours, croyant avoir raison, parce que la morale en politique, déjà appelée
de tous ses vœux par Péguy en 1914, n'existe pas,
n'a jamais existé. Et la France n'a pas lu Péguy. Elle
n'a pas intégré que, dès septembre 1940, des lois

antijuives ont été créées par le gouvernement de l'État français. Elle ne l'a compris, trop tard, que quand les étoiles jaunes sont apparues au revers des vestons ou des manteaux, des jeunes et des moins jeunes. A-t-elle pu réagir alors ? Elle non plus n'a pas la tête politique, malgré tout les Cafés du Commerce. Cette France éternelle lit les journaux, écoute la radio, après avoir écouté la TSF. C'est la même qui, de nos jours, se fait une opinion plus moderne et tout aussi approximative en assistant quotidiennement à la grand-messe des journaux télévisés. Le manège continue à tourner et les enfants recommencent. En 1944, elle n'a pas encore réalisé que l'idée la plus géniale des Allemands c'est d'avoir su la partager en deux zones. Créant ainsi pour longtemps des divisions irréductibles, des antagonismes et des haines, des différences dont on ressent encore un demi-siècle plus tard les effets pervers et désastreux.

En 1940, vous avez cinquante-cinq ans, Sacha. La France, vous l'aimez. Ce n'est pas contestable. Celle de votre temps. La France dont vous ne cessez d'exalter la richesse culturelle, la France victorieuse de la Grande Guerre de 14-18 : celle des généraux qui ont permis cette victoire, Joffre, Foch, Pétain. Celle de Clemenceau, ami de votre enfance, celle de Claude Monet, de Feydeau, de Rodin, de Bergson, de Valéry, de Cocteau mais aussi celle de Voltaire, de Rousseau, de Hugo ou de Balzac, et de tant d'autres encore. L'Allemagne, vous ne l'aimez pas. C'est tout aussi incontestable. Alors ? Pourquoi cette accusation infamante de « collaboration » ? Pourquoi l'a-t-on étayée en vous accusant...

Premièrement : d'avoir fréquenté von Stulpnagel, gouverneur militaire de Paris.

Deuxièmement : d'avoir reçu Goering.

Troisièmement : d'avoir été proallemand.

Quatrièmement : d'avoir été antisémite (alors que dans le livre *De Jeanne d'Arc à Philippe Pétain* on peut lire l'éditorial de Zola « J'accuse » défendant le capitaine Dreyfus).

Cinquièmement : d'avoir été un des premiers initiateurs de la collaboration, invité à l'ambassade d'Allemagne.

Sixièmement : d'avoir reçu chez vous des officiers allemands.

Septièmement : d'avoir fait partie du réseau Abetz.

Toutes rumeurs et bien d'autres encore qui vous poursuivront au-delà des deux décisions de classement rendues en votre faveur, la première le 7 mai 1945 et la seconde le 8 août 1947 ! Jusqu'à aboutir aux deux non-lieux qui vous permettront cette conclusion — l'esprit, toujours l'esprit : « C'est donc qu'il n'y avait pas lieu. » Pas lieu de vous mettre en prison. Pas lieu d'interdire, pendant trois ans, vos films, vos pièces, vos livres, dont les contrats sont dénoncés par les maisons d'édition

Plon et Flammarion. Pas lieu non plus de bloquer pendant ces trois mêmes années vos comptes en banque.

Vous n'êtes jamais allé jouer en Allemagne. Vous n'avez JAMAIS accordé l'autorisation d'y représenter AUCUNE de vos pièces — sauf *Mozart* avant la guerre, pour ne pas priver Reynaldo Hahn de ses droits musicaux. Vous n'avez jamais tourné de films en Allemagne. Pas plus avant la guerre que pendant l'Occupation, malgré des pressions renouvelées. Vous n'avez jamais écrit le moindre article dans aucun journal de l'Occupation. Vous n'avez jamais appartenu au « Groupe Collaboration » pas plus qu'au « réseau Abetz ». Abetz en témoignera par écrit, sous serment, au juge Raoult : « Monsieur Guitry n'a jamais eu de relations de service avec les Allemands. Il était considéré d'ailleurs comme non aryen. » Alors ? Antisémite ?

Sacha avait pour grand-mère la sœur de Mgr Bonfils, évêque du Mans. Accusé d'être juif pendant l'Occupation. Il s'en défend logiquement. Il questionne un jour le grand rabbin :

— Suis-je juif ?

— Hélas non, répond le grand rabbin.

Est-ce une preuve d'antisémitisme en un temps où on les tuait ?

Quant à Goering... lorsque le juge d'instruction lui demande pourquoi il a vu Goering, Sacha lui répond :

249

— « Il » a voulu me voir, lui... pas moi !

— Pourquoi ?

— Par curiosité !

Alors le juge s'exclame :

— Vous qui aviez été reçu par le roi d'Angleterre !

Sacha réplique que c'en était la conséquence.

— En effet, si je n'avais été reçu NI par le roi d'Angleterre, NI par le roi des Belges, NI par celui du Portugal ou d'Espagne et que j'aie vu Goering pendant l'Occupation, on aurait pu s'en étonner...

— Tout de même, être reçu à Windsor et voir Goering !

— Oui, Monsieur le juge, et même il est possible que je déjeune avec Staline avant vous, se permit de lui répondre très poliment Sacha Guitry.

Ce n'est pas avec de telles ironies qu'on se fait des amis parmi les juges d'instruction. Et nous verrons plus tard comment il a été amené à « voir Goering ».

Il faut bien admettre que ces quatre années n'ont rien apporté à sa gloire. Il était « Sacha », élu au plus haut degré de la célébrité bien avant 1940. Alors que pour quelques-uns — ne précisons pas davantage — l'Occupation a servi de tremplin pour y accéder.

Alors ? Toutes ces accusations parce que son « amour de la France » lui était si nécessaire qu'il avait cru pouvoir lui être utile ?

Henri Jadoux, votre ami le plus cher, le plus constant de ces années difficiles, rapporte une conversation édifiante que vous avez eue, Sacha, avec Emmanuel Berl. Celui qui avait publié à la NRF votre *Roman d'un tricheur,* et qui avait aussi — on le sait maintenant — rédigé quelques messages de Pétain. Alors que vous lui racontiez la visite d'un homme qui, au Dépôt, avait braqué sur vous un revolver en vous disant : « Tu vas mourir », récit que vous avez transcrit en vers, « J'ai vu la mort », Berl vous regarda et murmura :

— C'est dommage...

— Comment l'entendez-vous ?

— Eh bien ! S'il vous avait tué, c'eût été la fin de l'épuration.

Et devant la stupeur de Sacha :

— Vous plaisantez ! Je n'ai RIEN fait !

— Justement, ajoute Berl, vous êtes célèbre, on aurait compris qu'on était allé trop loin. Et c'eût été fini. Tandis que maintenant... on n'en sortira jamais.

Sacha reconnut volontiers que mourir en martyr innocent aurait pu le tenter, mais que malgré ce chapitre ajouté à sa légende il préférait une fin moins historique.

Or c'était cette célébrité précisément qui le désignait à l'attention des justiciers du moment comme le symbole d'une collaboration subie ou acceptée par le plus grand nombre, si exécrée et refusée par le plus petit !

Alors parlons un peu de ce temps « que les moins de vingt ans ne peuvent pas connaître ».

*

Le 19 août 1944 au matin, Sacha Guitry reçoit un coup de téléphone.

— Cachez-vous pendant trois jours...

Imperturbable, il questionne :

— Qui est à l'appareil ?

On raccroche.

Déjà Arletty, depuis un mois, lui a téléphoné plusieurs fois pour lui faire part de ses propres craintes. Mais ce ne peut pas être elle. Elle veut partir, il le sait, quitter quelque temps la France. Sacha s'est efforcé de lui en démontrer la sottise. Et pourtant, des comités d'épuration se forment dans toutes les professions. Pourquoi les acteurs et les écrivains seraient-ils épargnés ? En juillet, déjà, Albert Willemetz, son ami d'enfance, l'a mis en garde et lui a conseillé d'écrire une lettre où il se justifierait et se laverait de toutes sortes d'accusations possibles qu'on risque de porter contre lui. Sacha n'y a répondu qu'en blaguant :

— Donne-moi une lettre ! supplie Willemetz.

— En veux-tu cinq !

— Non, une seule, qui répond à tout.

— Tu l'auras.

— Quand ?

— Demain.

— Bon. Où dînes-tu ce soir ?

— A Fresnes !

Sacha ne croit pas si bien dire. Il s'y retrouvera deux mois plus tard.

Le 23 août, à 10 heures du matin, il prend son café. Arletty lui téléphone les bruits les plus sinistres qui courent dans Paris : arrestations, femmes tondues, etc. Elle a peur. Elle va se réfugier quelque temps chez des amis. De nouveau, Sacha la rassure en lui conseillant de ne pas se laisser atteindre par la peur des autres. Mme Choisel entre brusquement. Sacha raccroche.

— On vient vous chercher !

Deux hommes armés de revolvers font irruption dans son bureau. Sacha espère alors n'avoir pas convaincu Arletty.

— Haut les mains !

Est-ce du théâtre ? Non, ce n'est pas du théâtre. On le fouille alors qu'il est en pyjama !

— Suivez-nous.

Les deux hommes l'emmènent, lui refusant tout contact avec qui que ce soit et la possibilité même de se changer. Ils descendent l'escalier. Revolver sur la nuque, Sacha semble alors passer en revue toute la maisonnée réunie dans le vestibule où son père répétait vingt ans plus tôt *Le Misanthrope* et *Tartuffe*. De Mme Choisel à René Chalifour, le fidèle chauffeur que Sacha, en souvenir des premiers âges de l'automobile, appelle « son mécanicien », de la cuisinière au valet de chambre ; tous le regardent bouleversés comme pour un dernier adieu. Au passage il a réussi à prendre deux paquets de cigarettes et la copie de cette lettre à Willemetz qu'il s'est tout de même décidé à écrire quelques jours auparavant.

« Mon cher ami...

« Depuis quelques semaines, depuis le débarquement des troupes anglo-américaines, bien des personnes de ma connaissance qui ne sont peut-être pas rassurées sur leur propre compte ne dissimulent pas leur surprise de me voir aussi calme, aussi peu tourmenté... Elles ne sont pas éloignées de me croire inconscient et m'offrent un abri dans leurs caves ou un coin dans leurs greniers... Elles voudraient me voir dans les Charentes, la Creuse... ou mieux encore en Espagne... C'est me connaître bien peu que de me supposer assez bête pour être lâche, ou bien assez lâche pour être bête... VRAIMENT, PLUS ON EST CONNU, PLUS ON EST MÉCONNU... Je suis à Paris le bouc émissaire d'une trentaine d'individus dont l'avenir est incertain et qui donneraient gros pour que je sois des leurs... »

L'un des deux hommes lui arrache ces pages des mains, les fourre dans sa poche. Sacha se coiffe d'un chapeau de paille à large bord (je lui verrai le même en 1954 lors du tournage de *Napoléon*) ; ils sortent, rejoints et suivis par trois autres jeunes hommes, bicyclette à la main, armés eux aussi (des FFI ?). Les fils du téléphone sont coupés, le tout n'a pas duré trois minutes. Et l'étrange cortège démarre...

On lui fait craindre que la foule pourrait tirer sur lui. Sacha n'en a aucunement l'impression. Il ressent plutôt le ridicule de la situation : celui d'un homme qu'on emmène de force à travers le Champ-de-Mars puis l'esplanade des Invalides, vêtu d'un pyjama jaune citron à fleurs multicolores, panama à large bord sur la tête, chaussé de mules de crocodile vert jade qu'il manque de perdre à chaque pas !

Mauvais film ou mauvaise pièce, les badauds que sa notoriété attire constateront avec stupeur : « Ils ne lui ont même pas laissé le temps de s'habiller. » Ce côté chie-en-lit se traduira quelques heures plus tard auprès de son « mécanicien » Chalifour par...

— Il paraît qu'ils l'ont emmené tout nu !

Sacha sera ainsi exhibé jusqu'à la mairie du 7e arrondissement, rue de Grenelle, tandis que flambe le Grand Palais. On le pousse dans la salle des Mariages qu'il connaissait bien puisqu'il y était déjà entré quatre fois ! Et si je me permets de rappeler ce qu'il pense alors : « J'ai cru qu'on allait me marier de force, cette fois-là », c'est pour bien montrer que l'humour reste et restera toujours, pour cet homme que le malheur assiège, un refuge essentiel.

A la mairie, il retrouve entassés, pêle-mêle, des hommes jeunes et vieux, dont Paul Chack, des femmes tondues qui sanglotent, d'autres allongées sur des bancs et qui dorment. Sacha est bientôt entouré par ce petit monde qui a sursauté en le voyant arriver ainsi accoutré dans cette salle enfumée. L'une des jeunes femmes tondues vient à lui, elle pleure. Le regard de Sacha l'encourage à parler. C'est la fille d'un de ses amis intimes. Il la faisait sauter sur les genoux. Il ne l'a pas reconnue. Un épileptique pris d'une crise soudaine se roule par terre, interrompant ainsi tout attendrissement. On le soigne en lui versant un broc d'eau sur la tête. Un jeune homme se met à hurler : « Je veux qu'on me tue ! Je veux qu'on me tue tout de suite ! » On le tabasse. Il revient quelques instants plus tard, méconnaissable. Les heures passent, sans boire ni manger. On a dérobé les cigarettes de Sacha, épreuve terrible pour ce grand fumeur qui un jour a écrit : « ARTICLES POUR FUMEURS :

« Article premier : le tabac est un poison.

« Article deux : tant pis. »

Ou bien encore : ne fumez pas le tabac des autres, sous prétexte que vous ne fumez plus !

En fin de journée, vers 20 h 30, on l'emmène en voiture blindée, toujours vêtu de son seul pyjama. René Chalifour a tenté en vain de lui apporter nourriture et vêtements : refusé. Il arrive au Dépôt, à la Conciergerie, après que la voiture blindée eut essuyé quelques tirs de mitrailleuse car on se bat aux alentours de l'Hôtel de Ville où brûle un char allemand. Au Dépôt, on le fait entrer dans une salle humide et sombre où une vingtaine de personnes sont entassées. Ce qui le frappe d'abord c'est la puanteur qui se dégage du trop-plein des lieux d'aisance et... le silence. « Il n'existe pas de plus profond silence que celui consenti par des gens unis et immobilisés par la peur », écrira-t-il.

La nuit est noire maintenant. On l'appelle.

— Guitry ! suivez-moi... salaud !

Sacha demande alors à cet homme s'ils se connaissent. Le regard de l'homme ne permet pas de prolonger la conversation. On emmène Sacha. Premier interrogatoire. Sacha demande de quoi on l'accuse.

— Vous le savez bien !

A nouveau c'est la fouille. Ordre lui est donné d'enlever ses lacets de souliers. Sacha montre ses mules. Quelques instants plus tard il se retrouve en cellule accompagné par un surveillant et des religieuses. Il n'en croit pas ses yeux. C'est pourtant vrai : une congrégation vit à la Conciergerie depuis le XIXᵉ siècle, ce sont les sœurs de la Fraternité. Cellule 117, dans le quartier des femmes ! La religieuse ferme la porte de la cellule. L'homme, le surveillant, a exigé de rester seul avec Sacha « juste une minute ». Revolver sous le nez, Sacha pense que sa dernière heure est arrivée. L'homme plonge la main dans une de ses poches. Il en sort un papier et un crayon :

— Je voudrais un « orthographe » !

Sacha Guitry, auteur dramatique et acteur le plus

populaire au meilleur sens du terme, dont toute l'œuvre — cinématographique ou théâtrale — est une recherche constante du bonheur pour les autres, cet homme qui s'est cru investi d'une mission à ses yeux sacrée : défendre et illustrer la culture française face à l'invasion d'une culture allemande qui prône et exalte les vertus d'une race pure, passe la première nuit de la Libération en prison, cellule 117, avec sa stupeur pour seul compagnon, tandis que « les soldats de l'armée libératrice, pendant ce temps-là, se font tuer » !

*

Le lendemain 24 août, transfert à la cellule 42. Il y retrouve Jérôme Carcopino, ministre de Vichy, le chef de cabinet du préfet de police, et le ministre d'Haïti ! soucieux, lui, d'avoir été volé de « quatle vingt mille flancs » ! Accueil plus que réservé, glacial ! Quatre dans une cellule de quatre mètres sur deux, ça n'amuse personne. Seconde nuit sans sommeil. Sacha la passe la tête contre les tinettes. Ce qui lui permet de penser — l'esprit, toujours l'esprit — qu'il est « plus le chef du cabinet » du préfet Bussières... que celui couché à côté de lui ! Au petit matin, la mère supérieure ouvre la porte de la cellule.

— On vous demande.
— Qui ?

— Vous allez le voir. Venez...

Sacha se trouve face à deux officiers américains ! Armés, casqués, ils sont la preuve — ô joie — que Paris est libéré. Accompagnés du directeur de la prison, déjà agité par l'ahurissante demande qu'ils lui ont faite de voir Sacha et qui va l'être davantage encore dans quelques secondes, bien que ne comprenant pas l'anglais, quand les deux officiers demandent à Sacha de leur délivrer un message destiné à l'Amérique ! Tout aussi stupéfait que le directeur, Sacha s'exécute aussitôt. Ils prennent alors, par écrit, le salut confraternel qu'adresse M. Sacha Guitry à ses confrères auteurs dramatiques américains à l'occasion de l'entrée triomphale des Forces alliées dans Paris !

Le directeur s'exclame alors en désignant Sacha :

— Lui, collaborateur... Lui... bientôt fusillé !

— *Shut up, you, get away!* répondent les Américains.

Ils sortent alors du Dépôt avec Sacha, toujours suivis du directeur affolé, et, sous l'œil des gardiens éberlués, ils le prennent en photo sous tous les angles ! Lui offrant même de monter dans leur Jeep et de partir avec eux. Ce que Sacha refuse. Toute la prison est bientôt au courant de ce vedettariat d'un genre nouveau. Il ne sera pas sans conséquence. C'est l'illustration évidente que, au milieu de plus de six mille prisonniers qui vont défiler au Dépôt, la notoriété de Sacha lui attire toutes sortes d'attentions allant de la reconnaissance de ces deux officiers américains aux manifestations les plus humiliantes qui vont lui être réservées pendant « soixante jours de prison », et bien au-delà, pendant des années encore. Sacha, ou Guitry, il n'appartient pas par sa célébrité à une catégorie de prisonniers « ordinaires ».

On le lui fera bien voir.

Je ne me plains de rien. Je ne me
défends pas. Je n'attaque personne. Je
raconte : c'est tout.

Pour Sacha, cette affaire de Guitry collabo
commence à Dax, cette même ville de cure où il fut
réformé en 1914 pour cause de rhumatismes
inflammatoires. Il s'y retrouve pour la même raison
en juin 1940. Seule différence : en 1914 la France
venait de vaincre les Allemands sur la Marne.
En juin 1940, elle venait d'être écrasée par eux sur
l'ensemble de son territoire. Le malheur s'était
abattu sur elle. L'exode en portait encore les
marques de ravage, de désarroi, d'hébétude.

Pour ma part je n'oublie pas — je n'oublierai
jamais — le regard d'un soldat français allongé
dans le caniveau d'une rue de Nantes. J'avais seize
ans. Nous venions d'arriver à Nantes, mes parents,
mon frère et moi, au terme d'un voyage de quatre

jours depuis Paris ! Rejoints d'ailleurs quelques heures plus tard par les premiers éléments blindés allemands. Ce soldat français écroulé dans le caniveau, c'était l'image de la France à genoux. Une sorte de Siegfried allemand, sorti de son char, revolver au poing, lui intimait l'ordre de se lever. Dans le regard éteint de ce soldat, à bout de forces, il y avait toute la détresse d'un homme abandonné à lui-même, trahi, traqué, et qui ne comprend plus. Comme cette France de juin 1940 à qui on avait tellement menti. « Tue-moi, semblait-il dire à l'Allemand, je m'en fous ! » L'Allemand est parti, remettant son revolver dans son étui, laissant à la feld-gendarmerie le soin de le faire prisonnier. Pourquoi aurait-il tué ce soldat : il était déjà mort.

C'est dans le hall de l'hôtel Splendid de Dax que, le 16 juin, Sacha se retrouve en compagnie de Geneviève, sa femme, d'Elvire Popesco, d'Alice Cocéa, du général Denain, de Pierre Benoît, de Bergson et de quelques autres encore. Tous écoutent debout *La Marseillaise* après avoir entendu le maréchal Pétain, vainqueur prestigieux de Verdun, demander l'armistice, l'arrêt des combats « dans l'honneur ». Tous pleurent en entendant la suite du discours : les mots font mal. Pétain continue : « Rejoignez vos foyers, remettez-vous au travail... »

Chacun de s'interroger, de réfléchir pendant les jours qu'ils vont vivre là, aux conséquences du désastre. Que faire ? Aucun d'entre eux — et ils ne sont, hélas, pas les seuls — n'a entendu un autre appel : celui du général de Gaulle qui, le 18 juin, proclame que la France « a perdu une bataille mais pas la guerre ».

Depuis le 28 juin, la Kommandantur allemande de Dax est installée à l'hôtel Splendid.

Un certain jour, Sacha et Henri Bergson entrent dans le hall pour regagner leurs chambres. Sur le conseil de Bergson, Sacha semble décidé à rentrer à Paris : « Votre devoir est là », lui a dit l'illustre philosophe. Un officier allemand les arrête et prend à part Sacha.

— Vous êtes M. Sacha Guitry ?

— Oui.

— Je vous ai reconnu...

— Ah.

La conversation s'arrêterait là, si Sacha repartant, l'officier ne l'arrêtait à nouveau :

— **Ce** monsieur avec vous, n'est-il pas M. Bergson, le philosophe ?

— Oui.

Cet officier appartient-il à cette catégorie d'Allemands cultivés qu'on pourrait croire envoyés exprès et qui accréditeront dans les premiers mois de l'Occupation cette opinion très répandue qu'« ils sont corrects » ? C'est possible. Les SS et la Gestapo se montreront plus tard.

Dans la journée suivante, Sacha va recevoir deux sauf-conduits et cent litres d'essence renouvelables pour Bergson et pour lui, comme la manifestation des égards dus à leur qualité, leur notoriété. Et chose extraordinaire, quand ils quitteront l'hôtel Splendid de Dax, quarante-huit heures plus tard, ils seront salués par un peloton de soldats allemands alignés dans un garde-à-vous impeccable pour rendre les honneurs à des représentants éminents de la culture française ! Savent-ils que Bergson est juif ? Retenons seulement que les lois antijuives interviendront quelques mois plus tard, initiées par l'État français... du maréchal Pétain !

C'est le premier contact de Sacha avec l'occupant.

*

Sacha rentre à Paris. Il revoit sa maison de campagne. Il revoit sa maison du Champ-de-Mars. Et, première décision, il va acheter au musée Rodin un buste de Clemenceau ! Il l'installe dans le grand escalier. Deuxième décision, « remettez-vous au travail », a dit le Maréchal. Sacha va donc tenter de rouvrir le théâtre de la Madeleine dont Robert Trébor et André Brulé sont les codirecteurs. Il s'adresse au Dr Roussy qui remplit pour l'heure les fonctions de ministre de l'Éducation nationale. Le Dr Roussy se réjouit de cette décision. Mais il faut obtenir d'abord, dit-il, l'autorisation des Allemands. Rendez-vous est pris auprès du gouverneur militaire de Paris : le général Turner. Autorisation accordée.

Avec quoi va-t-on ouvrir ? *PASTEUR,* dit Sacha. Autorisation demandée à M. Raedemacker. Autre administration, autre accueil. M. Raedemacker demande à lire *Pasteur.* Après quelques jours, il renvoie le manuscrit, non sans y avoir coupé à sa guise ce qui ne lui plaît pas. Protestations de Sacha. Retour à la case départ vers le général Turner. Le texte est rétabli dans son intégralité, et M. Raedemacker — erreur de jeunesse — est prié par le général de faire des excuses à « Monsieur Sacha Guitry ! » On ouvrira bien avec *Pasteur,* le 31 juillet, le théâtre de la Madeleine. Déjà les journaux annoncent : « M. Sacha Guitry, président de l'Union des Arts, installe une permanence au théâtre de la Madeleine pour venir en aide aux artistes, écrivains, peintres, artistes dramatiques ou lyriques... » Les contrats des acteurs de *Pasteur* portent le paragraphe suivant : « Les recettes seront divisées en trois parts égales. La première part pour la direction du théâtre. La deuxième pour les prisonniers et les pauvres [*sic*]. La troisième sera partagée en parts égales pour chacun des comédiens. » On n'est pas plus solidaire.

L'effet produit par la pièce est considérable. Totalement indépendant de la qualité même de l'œuvre. C'est l'effet que font sur le public les répliques prononcées par les personnages. Surtout le « Vive la France ! » final. Et c'est le lendemain, 1ᵉʳ septembre, que « l'Affaire Guitry » va se créer. Ce soir-là, l'assistance, apercevant un général allemand assis à

265

l'orchestre, le général Turner bien entendu, applaudit debout le général français en uniforme, le président de la République française qui saluent sur scène le grand Pasteur parlant de la guerre et de l'avenir, et... *La Marseillaise* que l'on joue ! L'accueil est tel qu'il oblige le général Turner à se lever aussi. Quelques minutes plus tard, après la chute du rideau, le général demande à voir « Monsieur Sacha Guitry » dans sa loge...

Sacha s'en explique dans son livre *Quatre Ans d'occupations* (à noter le « s » final).

— Qu'un acteur inconnu refuse sa porte à un caporal allemand, il n'en résultera rien. Que je reçoive sur le seuil de ma loge l'ambassadeur d'Allemagne, j'aurais l'air d'un goujat. Je n'en vois pas l'utilité. Je prétends qu'on peut désigner un siège à quelqu'un sans que cela veuille dire « installez-vous là pour toujours » !

Et, pour se faire mieux comprendre encore, il précise :

— Je trouve absolument naturel qu'on ne fasse aucune distinction entre un marchand de marrons et moi devant l'Urne électorale — à quoi, par respect, il accorde un « U » majuscule —, mais il y a des situations quasi officielles qui créent certaines obligations en vertu desquelles les responsabilités ne sont pas identiques...

Sacha ne se sent pas vaincu devant un vainqueur : il est Sacha, représentant célèbre d'un pays

266

en échec « mais pas mat » devant un général allemand inconnu. Et au cas où les nuances de l'écriture auraient empêché le lecteur d'en pénétrer l'esprit, Sacha pose la question :

— Avez-vous vu des Allemands ? Non ? Eh bien si vous n'en avez pas vu, C'EST QU'ILS N'ONT PAS VOULU NI DÉSIRÉ VOUS VOIR. Et je crois pouvoir ajouter que vous n'y êtes pour rien. Car quand ils voulaient vous voir... TOUS LES MOYENS LEUR ÉTAIENT BONS !

Et quant à lui, conclut-il, s'il en a vu, il en a vu bien moins qu'on ne le dit, et IL LES A MOINS VUS QU'ILS NE L'ONT REGARDÉ.

— Je sais bien des gens qui aiment à se vanter, explique-t-il, de n'en avoir pas vu — et qui n'en ont pas vu, c'est vrai —, parce que C'ÉTAIT MOI qui les VOYAIT pour EUX !

Beaucoup de ceux-là qui lui reprocheront plus tard d'avoir rencontré des Allemands affecteront alors d'ignorer que Sacha en aurait vu moins s'il les avait vus... EUX-MÊMES !

Au lendemain de ce 1er septembre, Maurice Lehmann, futur directeur du Châtelet après la guerre, lui écrit : « J'étais bien fier hier d'être votre compatriote. C'était une magnifique soirée et *si utile.* »

C'est bien ce premier jour de septembre qui rend Sacha prisonnier de lui-même.

La seule réaction défavorable viendra de la zone

libre : « Pourquoi SON théâtre ? Son théâtre d'abord ! » Or, c'est déjà un reproche injuste : il n'est ni le seul ni le premier. Le théâtre de l'Œuvre a ouvert le 15 juillet. Une semaine plus tard, les Ambassadeurs ouvriront avec une pièce de Michel Duran, portant comme attribut publicitaire « Trois heures de fou rire », en juillet 1940... !

A noter que, pendant les quatre ans d'occupation, les théâtres de Paris, tout comme ceux de province, ne désempliront pas.

Sacha est donc dans sa loge face à un général Turner, presque intimidé. Car Sacha, toujours courtois, n'avait pas l'impassibilité engageante, parfois.

— Je vous félicite, dit en français le général. Avec tous les spectateurs français présents dans la salle j'ai applaudi... *Pasteur.* J'aimerais vous en exprimer... quelque chose. Que puis-je pour vous ?

— Pour moi, rien, répond Sacha.

— J'insiste...

Sacha a soudain une idée :

— Même... si je vous demandais la libération de quelques prisonniers ?

Un temps.

— Faites-moi parvenir les noms et des renseignements sur eux, répond le général. Combien en connaissez-vous ?

— Dix ! répond Sacha imperturbable.

En réalité il n'en connaît qu'un : le fils d'Albert Willemetz, Gérard.

Robert Trébor, le second directeur de la Madeleine qui assiste à l'entretien, en connaît un autre, ami intime de sa secrétaire. Ça fait deux ! Pendant trois jours, Sacha bat le rappel. Trois autres noms surgissent. Le bruit se répand très vite que Sacha peut obtenir des libérations de prisonniers. Le doigt est dans l'engrenage. Car, dès lors, Sacha va être très sollicité — et heureux de l'être — pour toutes sortes de raisons renouvelées par les demandeurs les plus divers. Certes, il aurait pu dire au général Turner « merci, mais... », mais il ne le dit pas. C'est sa faute, son péché originel. Le sentiment d'être utile. En 1940, le problème du retour des prisonniers est crucial. Un million deux cent mille hommes sont retenus dans des camps, stalags, oflags. Ils ne savent pas encore que cela va durer quatre ans. Et si l'on songe que certains avaient été appelés « sous les drapeaux » deux ans auparavant...

Comment refuser à Paul Valéry qui le lui demande du tabac « pour alimenter ma petite cheminée... » ? Comment ne pas aider la maréchale Joffre qui souhaiterait voir partir les Allemands qui occupent sa maison de Louveciennes ? Comment ne pas aider au rapatriement de certains prisonniers malades ? Du charbon pour les uns. Du tabac pour les autres. Du lait, de l'essence, etc. En octobre 1943, Tristan Bernard et son épouse sont arrêtés à Cannes. Reynaldo Hahn, par l'intermédiaire de René Fauchois, supplie qu'on alerte Sacha. Lui, ne pouvant « faire mieux que son mieux ». Sacha, bouleversé par cette arrestation — c'est le plus vieil ami de son enfance —, fera tout pour sortir Tristan Bernard des mains de la Gestapo. Il s'offrira même en otage, pour prendre sa place à Drancy où Tristan et son épouse ont été transférés avec un convoi de Juifs. Le ministre Schleier, rencontré pour la circonstance à une réception qu'il donne chez lui, ce jour-là, le rassure et le calme en présence d'Arletty et du pianiste Alfred Cortot. Après quelques jours il fait préciser à Sacha :

— M. Tristan Bernard et sa femme seront ce soir à l'hôpital Rothschild. Je ferai l'impossible pour les faire libérer.

Quelques jours plus tard, Sacha aura le bonheur de retrouver Tristan en compagnie de son épouse dans une petite chambre de l'hôpital Rothschild. Six jours plus tard, ils sont libres. Sacha, au cours d'une visite, lui demande s'il a besoin de linge ou de quelque chose pour sortir. Tristan lui répond en clignant de l'œil :

— Oui... un cache-nez.

C'est le même Tristan qui, constatant les horreurs de ce temps, déclarait : « Quelle époque ! On bloque les comptes et on compte les Bloch ! »

Cette libération a été obtenue — cela va sans dire — par l'entremise du ministre Schleier, de l'ambassadeur de Brinon, du général allemand Medicus, du colonel Knocken ainsi que de l'écrivain Fredrich Zieburg. Après la Libération, aux yeux de quelques-uns, cela prouvera simplement que les Allemands n'avaient rien à refuser à M. Sacha Guitry ! Quelqu'un écrira même au juge d'instruction Angeras en octobre 1944 pour affirmer que « c'est accompagné d'un officier allemand dans une voiture allemande que Sacha Guitry s'est rendu à l'hôpital Rothschild » pour être auprès de Tristan Bernard et de sa femme à leur sortie de l'hôpital.

Une enquête est ordonnée.

Il en ressort que l'accusateur n'avait pas VU Sacha mais tenait ce renseignement de MÉDECINS APPARTENANT AU CORPS MÉDICAL DE L'HÔPITAL, dont le Dr X et le Dr Y. Nouvelle enquête, dont les détails appartiennent aux historiens mais qui aboutit aux témoignages de Tristan Bernard et de son épouse qui ont déclaré que « lors de leur libération, une voiture de la préfecture de police conduite par un chauffeur de l'administration les avait menés 36, quai des Orfèvres puis à la Kommandantur où ils ont été entendus par un officier allemand, répondant au nom de Schmidt, leur prescrivant de venir signer leurs noms le 2 de chaque mois. Ils ont alors pu regagner leur domicile. M. GUITRY N'ÉTAIT AUCUNEMENT PRÉSENT LORS D'AUCUNE DE CES DÉMARCHES ».

Quant aux Drs X et Y, ils déclarent, sous serment, n'avoir jamais vu ni rencontré M. Sacha

271

Guitry lors des deux visites qu'il a faites à l'hôpital Rothschild.

« Des avantages de la célébrité. »

*

« On ne se console pas du mal que l'on fait, soi. Tandis qu'on parvient à faire son profit du mal que l'on vous fait, quand on a l'âme forte et le sens de l'humour », écrira un jour Sacha.

Le 21 octobre 1944, il est toujours en prison, à Fresnes. Il attend. Il n'en peut plus. Il est passé depuis deux mois du Dépôt au Vélodrome d'Hiver, sous les insultes et les crachats. Puis du Vélodrome d'Hiver à Drancy et de Drancy à Fresnes. Parcours identique à celui qu'ont fait tant de Juifs, adultes et enfants, mais qui pour eux s'est terminé le plus souvent dans les chambres à gaz ! Évidemment, Sacha le reconnaît lui-même, « ce n'était ni Buchenwald ni Dachau mais pour des Français ce n'était pas si mal » ! Au Vélodrome d'Hiver, interdiction est faite à tous les détenus de se tenir debout. Couchés ou assis sur le sol, ou encore à genoux. Rien d'autre. Trois cents femmes les rejoignent bientôt, tondues ou blessées. Toutes ou presque pleurent, ainsi menées en troupeau par des gendarmes. En les voyant arriver les hommes se lèvent. Clameur générale. Et bientôt celles qui portent des écharpes vont les draper sur la tête des femmes tondues, coupant même des mèches de leurs cheveux pour les glisser sous les écharpes afin de redonner à leurs compagnes d'infortune une apparente féminité. C'est au « Vel' d'Hiv' » qu'au cours d'un interrogatoire Sacha verra que le motif de son arrestation est ignoré. C'est au « Vel' d'Hiv' » qu'une femme officier américaine arrive trois jours plus tard. Elle est en mission humanitaire. Devant elle, soudain, toutes les tondues dénouent lentement leurs écharpes. Le silence est total. Cette femme, dans un élan irrépressible, embrasse alors toutes celles qui lui sont proches. « Le Vel' d'Hiv' est en fête », écrira plus tard Sacha. Un Sacha que la femme officier américaine demandera à voir elle aussi par curiosité ! Et quand il quittera le « Vel' d'Hiv' » pour rejoindre Drancy, en sortant sous les huées « vendu », « sale collabo », « assassin », à la question posée par une dame :

— Qui c'est celui-là ?

— Raimu, répondra quelqu'un dans la foule.

*

A Drancy, où ses colis lui sont volés, « les vôtres, vous pensez ! », Sacha va subir toutes sortes d'humiliations aussi inutiles que sordides, destinées à le prendre en faute. Il les subit avec la même impassibilité provocante. Aidé en cela par un admirateur inconditionnel, un certain Vincent La Posta, napolitain d'origine qui lui apporte, par son humeur et sa jeunesse, le singulier réconfort tragi-comique si naturel aux Italiens ! Même quand il se retrouve avec lui le 23 septembre dans la soupente du bloc 4 où soixante-trois hommes sont parqués dans un espace qui pourrait en contenir vingt-cinq. Il y est accueilli « avec délicatesse », dit-il, par tous ces hommes « égaux dans le malheur », et entouré d'égards. Mais ils ne peuvent empêcher que, la nuit, le sommeil de Sacha ne soit troublé par le va-et-vient des souris et des punaises qui lui passent sur le corps.

C'est à Drancy que, passant devant une commission d'enquête, à une question posée sur ses opinions politiques, Sacha répond :

— Je suis bonapartiste en écrivant *Cambronne*, royaliste en jouant *Louis XV* et j'en arrive à me croire savant en jouant *Pasteur.*

— Tout de même, vous avez été pétainiste !

— Nullement. Je n'ai d'ailleurs pas la francisque.

C'est à Drancy que Sacha comprend que son arrestation si volontairement spectaculaire, dont le motif est ignoré, et son maintien en prison sont un moyen très sûr de calmer « l'opinion publique ». Au cours d'un autre passage devant une autre commission d'enquête, le 14 octobre, comme on ne peut pas l'inculper de « commerce avec l'ennemi » ou de « complot contre la sûreté de l'État » qui ne sont pas vraisemblables, on l'inculpe d'« intelligences avec l'ennemi ». Jouant sur les mots, Sacha

274

répond qu'en effet « il lui semble n'en avoir pas manqué ». Les membres de la commission sourient : va pour « intelligence avec l'ennemi ». Cela ne leur paraît pas plus sérieux que ce qui s'est passé deux jours auparavant avec un pauvre bougre dénoncé, selon un rapport précis, par le concierge de son immeuble ! Le malheureux alors a éclaté de rire devant les membres de la commission éberlués :

— Le concierge de l'immeuble ? C'est moi... le concierge de l'immeuble !

*

Tandis qu'il est encore à Fresnes — Sacha comprendra beaucoup plus tard et avec bien des difficultés que son maintien en prison l'a peut-être protégé d'une justice plus expéditive et plus sommaire —, on peut lire dans les journaux du soir et du matin un communiqué du juge d'instruction Angeras qui « attend que des dénonciations, concernant M. Sacha Guitry, lui soient adressées ».

Elles vont venir. En voici quelques-unes.

En 1943, un journal clandestin a publié : « Sacha Guitry expose le buste de Hitler au foyer du théâtre de la Madeleine ». Un homme vient relater le fait qu'il a lu un an auparavant. Interrogé, Sacha répond :

— C'est totalement faux. J'ai exposé au foyer le buste de mon père, en souvenir de Pasteur que je

275

jouais alors ! Et mon père, à la vérité, ressemble en effet à... Mussolini ! L'erreur doit venir de là...

On l'a vu dîner onze fois avec des Allemands au restaurant Le Cabaret aux Champs-Élysées. « Faux », répond Sacha. Convoqué, le dénonciateur se rétracte. Ce n'est pas lui, mais « des personnes » qui lui ont dit l'avoir vu. « Curieux comme tout change, dès qu'on témoigne sous serment », constate Sacha.

Un autre l'a vu, lui, sur la tombe de son père avec des « soldats de la Gestapo ». Il va se rétracter lui aussi. Même jeu : ce sont « des gens » qui l'ont vu, pas lui.

Un troisième prétend que du lait était apporté à Sacha qui bien entendu venait des Allemands et qu'il avait vu ce lait sur le rebord d'une fenêtre de la cuisine.

— C'était le lait de mes vaches, répond Sacha, j'en ai deux dans ma maison de campagne.

Un autre réclame la mort de Sacha pour avoir publié et vendu quarante mille francs chaque exemplaire de *De Jeanne d'Arc à Philippe Pétain.* A quoi Sacha répond que le produit de ses ventes est allé directement au Secours national. Ce livre, « cri d'amour et d'espérance », il en a demandé les pages adressées à Montaigne, Corneille, Colbert ou Balzac, ..., à Duhamel, à Valéry, à Pierre Benoît, à Paul Morand, Giraudoux, Colette, Cocteau et bien d'autres encore, comme un « *monument élevé à la gloire de la France* ».

— Je pensais bien que mon livre ferait un jour du bruit, mais pas celui de douze balles dans la peau à huit mètres, observe Sacha.

Le 24 octobre il sort enfin de Fresnes, non sans avoir constaté que le ministre qui a signé son élargissement, lassé sans doute de tant d'illégalités commises depuis des mois, s'appelle Menthon.

— C'est ainsi que l'infamie se termina. Les infamies ont commencé le lendemain, constate encore Sacha.

En vérité, je ne suis pas un homme à qui l'on pouvait dire : « Soyez malin, soyez prudent, en un mot soyez lâche, et à la dernière minute, mettez-vous dans la Résistance. »

Chaque génération a ses héros, ses idoles. Ceux qui ont vécu les événements de la guerre 1914-1918 — avant, pendant et après — avaient les leurs. De Foch à Clemenceau, de Clemenceau à... Pétain. Sacha est de ceux-là. Leur être fidèle est une preuve de respect. Elle peut aussi être une marque d'entêtement rigide.

Dans son livre *Quatre Ans d'occupation*, Sacha détaille les ignominies qui ont commencé à l'atteindre à sa sortie de Fresnes. Elles sont liées à cette fidélité. Le livre est dédié à l'un de ceux qui, en 1940, ont regagné la capitale pour se remettre au travail — comme lui — en haïssant la présence à Paris de l'armée allemande — comme lui —, et qui se sont alors dit — comme lui : « Quel bonheur qu'on ait le Maréchal. » S'interrogeant cependant sur la Russie et se demandant ce que faisait l'Amérique — comme lui. Il est dédié aussi à l'un de ceux qui ont souhaité le rencontrer sachant qu'il pouvait faire libérer des prisonniers en lui disant leur bonheur à ce moment-là, mais qui, deux ans plus tard, se sont étonnés qu'un auteur dramatique, à l'abri du besoin, ait repris son travail « quand les boches étaient là ». Sacha s'adresse aussi à l'un des cinq mille spectateurs, pris au hasard, de *N'écoutez pas, mesdames*. Cette pièce dans laquelle il joue un antiquaire.

— Vous êtes vraiment antiquaire ?

— En vérité, non ! Je rends service à quelqu'un qui est dans le malheur.

Et Sacha mettait un index rapide sur ses lèvres : « Chut ! » Toute la salle alors comprenait qu'il s'agissait d'un antiquaire juif récemment arrêté. Pour Sacha, c'était une forme de résistance que de montrer ainsi dans le domaine qui était le sien — le théâtre — que l'audace, la franchise et l'humour pouvaient encourager l'audience à ne pas se sentir vaincue. Il reconnaît d'ailleurs que cette résistance-là ne valait pas, à l'évidence, l'autre, « mais qu'elle en débroussaillait les voies ».

Comme de dire dans le film sur *Désirée Clary* :

— Quel que soit le destin qui vous est réservé,

279

aimez par-dessus tout la France. Et si jamais vous la voyez dans le malheur, ne vous effrayez pas. Relisez son histoire : elle s'en tirera toujours.

C'était aussi, tournant un autre film, *Donne-moi tes yeux*, où il jouait un sculpteur, de dire à son modèle, Geneviève Guitry, en 1943 :

— Je vais d'abord vous faire en terre glaise.

Et d'ajouter, tout sourire :

— Ça vous plairait, hein... d'être en glaise ?

« Coupez ! » avait hurlé le producteur.

— Vous êtes fou !

— Pourquoi ?

— Mais... parce que... en glaise et Anglaise...

Sacha de protester :

— Mais... n'ayez pas peur ! Je vais ajouter « pourvu que la censure ne me coupe pas ça » !

On en restera là. Mais si l'on retrouve la bobine de ce film, on constate que la phrase y est enregistrée. Ajoutons que, ce jour-là, Sacha avait reçu la visite d'un charmant vieil acteur de ses amis, Marcel Simon, porteur de l'étoile jaune, ce qui avait créé un certain malaise sur le plateau. Sacha avait éprouvé le besoin de réchauffer l'atmosphère. C'est une conduite dont il ne s'est jamais écarté durant l'Occupation. A l'image de celle du chansonnier Martini qui entrait en scène dans un cabaret montmartrois en saluant le public à l'hitlérienne bras droit haut levé au-dessus de l'épaule, dans le silence stupéfait des spectateurs.

— Nous sommes dans la merde jusque-là ! indiquait-il alors.

Sacha traduisait cela en s'adressant, en tant que président de l'Union des Arts, aux membres du comité :

— J'ai cru m'apercevoir que ce que la France ne parvenait pas à obtenir par la force, elle l'obtenait par la ruse. Glorifions donc Turenne et Condé. Adorons Napoléon, mais de toute notre intelligence admirons Louis XI, vénérons Richelieu et souvenons-nous de Talleyrand.

Les membres de ce comité le rééliront en juin 1944 mais ne se souviendront pas plus de lui que de Talleyrand après le 23 août de la même année.

Présentant dans les premiers mois de l'Occupation son film *Ceux de chez nous*, il citait dans son commentaire, rédigé pour l'occasion, le mot d'Octave Mirbeau, lui conseillant d'écrire seul : « Ne collaborez jamais ! »

L'effet était énorme. Il en avait reçu les hommages des plus éminentes personnalités. Dans les années à venir personne n'en gardera mémoire. Lui en voulait-on encore d'avoir rencontré Goering ?

Deux officiers se présentent en avril 1942 en son hôtel du Champ-de-Mars. Il est 15 heures. Sacha travaille dans son bureau.

— Voulez-vous nous suivre ?

— Pour me fusiller ?

— Quelqu'un veut vous voir, réplique sans sourciller l'un d'eux, peu soucieux d'humour.

— Qui ?

— Nous ne sommes pas autorisés à vous le dire, reprend l'officier.

— Je ne sortirai pas d'ici, si je ne sais pas QUI veut me voir. Emmenez-moi de force si vous voulez, mais...

Embarras des deux officiers.

— Nous ne sommes pas autorisés à vous le dire, répète encore l'officier allemand.

— Le téléphone est là, messieurs. Demandez à la personne de vous autoriser à me révéler qui elle est. Un point c'est tout.

L'un des officiers s'empare du téléphone. Courte conversation en allemand. Il raccroche et se tourne alors vers Sacha, en claquant les talons :

— C'est le feld-maréchal Goering.

Ahurissement de Sacha. Mais l'attitude des deux officiers ne lui laisse pas le moindre choix. Ils ont un ordre. Ils sont allemands. Ils l'exécuteront. Et puis... et puis Sacha se sent animé d'un sentiment soudain. Ce n'est plus celui d'« être utile ». C'est le désir de voir, de connaître, de comprendre « qui est Goering ». Flatté, Sacha ? Peut-être. Curieux ? Sûrement. Pour Sacha, cet homme est un spectacle. Aura-t-il au cours de cette rencontre l'audace de lui répéter — selon l'accueil — ce qu'il a dit un jour à un membre de la Propaganda Staffel chargé de la censure des œuvres françaises : « La question juive, telle que vous la traitez, c'est la vengeance d'un cocu ! Celle d'un homme cocufié par un Juif qui, dès lors, détesterait la race tout entière... se privant d'artistes et de scientifiques des plus éminents ! »

Le voilà donc devant Goering. Le spectacle le déçoit. L'homme est énorme. L'air plutôt russe qu'allemand : « Une très grosse dame déguisée en homme », pense Sacha. Un gros acteur ! Leur conversation va être réduite. Goering ne parle pas un mot de français. Sacha ne parle pas allemand. Mais Goering a vu *Le Roman d'un tricheur*. Il semble en rire encore et le dit à Sacha, qui conclut alors à une lubie de potentat. Le tout ne durera pas plus d'un quart d'heure. Aucun autre problème n'est évoqué. Sacha rentre chez lui frustré peut-être, mais quel est l'écrivain — ou le journaliste — qui n'aurait pas été tenté d'approcher... même un monstre ? N'est-ce pas la nourriture première, constante, de tous ceux qui écrivent que d'avoir la curiosité de comprendre et de voir — sans partager ni opinions ni mode de vie — un représentant de l'espèce ? « Au nom des œuvres humaines qu'on laisse les créateurs tranquilles », dit Montherlant. Sacha pouvait, lui, affirmer justement : « Je n'ai pas *vu* Goering, c'est *lui* qui a désiré me voir. » L'ennemi qu'il rencontre fait encore partie de son public : l'acteur, en quelque sorte, victime de sa notoriété.

Comment pourra-t-il alors ne pas souffrir quand un ami intime lui écrit et — pour ne pas se compromettre — déguise son écriture en signant illisible !

Quand un des onze jeunes hommes dont il a obtenu la libération vient le voir en octobre 1946 pour finalement lui préciser, un peu gêné tout de même : « Si vous pouviez ne pas dire que c'est vous qui m'avez fait libérer... parce que ça me fait du tort. »

Quand le théâtre de la Madeleine où il a joué pendant quinze ans dix-sept pièces nouvelles, fêté dix-huit « centièmes » et travaillé — sans contrat — de 1940 à 1944 — supprime — par peur — son nom dans les programmes où il est pourtant de tradition de publier l'historique du théâtre !

Quand le propre fils de Tristan Bernard, dans une interview donnée en 1945, répond à la question :

— Comment votre père a-t-il été libéré ?

— A cause de son âge et de son nom !

A aucun instant il ne cite le nom de Sacha. Et dans une lettre écrite en termes choisis, pour répondre à sa protestation, il fait allusion à la publicité que Sacha aurait pu éventuellement tirer de son intervention en l'assurant, à la fin de cette missive, de « ses sentiments les meilleurs », alors que deux ans plus tôt, Sacha avait droit à des sentiments d'affection !

284

Quand une liste de soutien à Sacha est proposée par le jeune Alain Decaux — à qui souhaitera se manifester — et qu'un compositeur ami, auteur de la musique des films de Sacha, après l'avoir signée, demande à réfléchir pour, dans un réflexe second, supprimer son nom au Corrector ! Car dans les circonstances présentes, dit-il, « cette manifestation pourrait paraître déplacée ».

Quand, après la première décision de classement le 7 mai 1945 on rouvre le dossier en novembre sous la poussée médiatique pour cause de « rumeurs publiques », qu'on renvoie l'affaire avec supplément d'enquête et nouvelle instruction en février 1946 alors que depuis août 1944, toute activité est interdite à Sacha, ses comptes en banque bloqués, l'obligeant à vendre une douzaine de tableaux pour survivre et payer ses arriérés d'impôts. Enquête qui aboutira à un deuxième « non-lieu » en avril 1947, reconnaissant les « méritoires services » qu'il a pu rendre en évitant à quatorze personnes la déportation, dont Tristan Bernard et sa femme, le fils d'Albert Willemetz, celui d'Huguette Duflos, l'évêque de Lille, Michel Clemenceau... Seul l'acteur Guitry est égratigné (les acteurs en ont l'habitude !). « Les feux de la rampe et les projecteurs déforment les gestes et les ombres », déclare le commissaire du gouvernement, Sacha Guitry pâtit de cette optique d'agrandissement. « SES CONTACTS, AU DEMEURANT LIMITÉS, AVEC L'OCCUPANT n'ont pas manqué d'être affectés de son propre coefficient de publicité : LA LÉGENDE EST LE FRUIT DE LA NOTO-RIÉTÉ... Le rôle que sa nature l'astreint toujours à jouer, l'ennemi qu'il a rencontré, n'était que son public impersonnel. L'INTENTION DÉLICTUELLE MANQUAIT à ses contacts. » Le commissaire ajoute un peu plus loin : « IL S'EST VOULU REPRÉSENTANT UNE PARCELLE DE LA FRANCE. » Il semble là que l'action de Sacha durant l'Occupation ait été parfaitement définie... sinon l'importance de la parcelle.

Il comprendra mieux ce qui lui est arrivé quand Maurice Schumann viendra le voir, un jour, chez lui au Champ-de-Mars. « Que pourrait-on faire pour vous tirer de là ? » Et Sacha répond :

— La radio. Puisque la radio de Londres m'a diffamé en me promettant le poteau en même temps que Laval, qu'on me laisse m'adresser aux Français sur une radio française pour que je puisse convaincre de ma bonne foi et de mon honnêteté.

Ébahi par une telle réponse (en somme « un Français parle aux Français »), Maurice Schumann réalise à quel point Sacha est éloigné de la réalité (Sacha reconnaîtra plus tard son inconscience). Maurice Schumann lui explique longuement « de toute son intelligence, dit Guitry, avec sympathie même », à quel point il n'a rien compris !

— On ne vous accuse de rien ! Vous n'avez pas à vous défendre. On ne veut justement pas que vous

vous défendiez. Voilà ce qu'il vous faudrait absolument comprendre.

En somme, ainsi que le dit le roi à Rodrigue à la
fin du *Cid* : « Laisse faire le temps, ta vaillance et
ton roi ! »

Sacha est en fait, par sa notoriété, le symbole
éclatant, la partie visible de cette collaboration que
l'on châtie.

Est-ce cette rencontre qui amène Maurice
Schumann, quelques décennies plus tard, à définir
la calomnie comme « la forme la plus raffinée du
meurtre » ? Non, sans doute, mais Sacha aurait
aimé...

Condamné au silence, il aura pour seul dérivatif
— ô combien précieux — le bonheur de l'écriture.
La maison du Champ-de-Mars où défilaient naguère
tant d'amis et de solliciteurs et à l'entrée de laquelle,
Sacha, académicien Goncourt, commandeur de la
Légion d'honneur, aurait pu mettre cinq plaques de
cuivre : Présidence de l'Union des Arts, de l'Associa-
tion des artistes dramatiques, Direction artistique
du théâtre de la Madeleine, Siège de l'académie
Goncourt, est désertée de tout et de tous. Il vit chez
lui en reclus.

Je suis ici dans ma maison
Et ma maison est dans Paris
Qui lui-même se trouve en France.
Quant à la France, elle est bel et bien dans l'Europe

Aussi vrai que Molière a fait Le Misanthrope
Aussi vrai que ma femme est exquisément blonde.
Il ne faut pas de vue qu'un instant on le perde
L'Europe est dans le monde
Et, quant au monde, il est jusqu'au cou dans la merde.
Oui, dans la merde jusqu'au cou, depuis des mois.
La vérité ne doit jamais être fardée.
C'est ce qui fait qu'étant chez moi
Je suis, depuis des mois, tellement emmerdé !

Pour sortir de cet emmerdement, Sacha, parfois, joue aux cartes. Et il triche ! Sans l'avouer. Ou il fait des patiences. Mais tous les soirs, vers 9 heures, il lève la tête, s'interrompant de toute rêverie, de toute activité : mentalement il frappe les trois coups. Comme au théâtre. Un ami lui demande un jour :

— Vous ne voyez pas une chose qui vous ferait plaisir ?

Sacha, après un temps de réflexion, répond de sa voix musicale :

— Une très jolie femme peut-être...

— Pour ?

— Pour la voir.

— Comment l'écrivez-vous ?

— Sans apostrophe...

C'est ainsi, de cette façon théâtrale, et sur un mot d'auteur, que Lana Marconi entre dans la vie de Sacha. Car cette très jolie femme qui va succéder à Geneviève ex-Guitry, il la regardera dès le lendemain et jusqu'à la fin de son parcours terrestre, considérant alors que :

— Cela peut très bien se produire, un miracle.

Cela signifie-t-il que Sacha croit en Dieu ? Il en fait en tout cas référence. Il n'aime pas qu'on se dise « averti des desseins secrets de Dieu ». Il déteste que certains dévots lui fassent offrande en ayant alors l'air de lui graisser la patte ! Mais pour lui, « nier Dieu, c'est repousser une hypothèse ravissante. Même si les preuves de sa présence au ciel ne sont pas très évidentes, celles du contraire ne sont pas très évidentes non plus » ! Pour lui, nier Dieu c'est se priver de l'unique intérêt que peut avoir la mort puisqu'on va peut-être le rencontrer.

— Il faut laisser à Dieu le bénéfice du doute, proclame-t-il. Car rien n'est plus obsédant que le doute. Aucune conviction n'a la force, la ténacité du doute. Quand le doute est ancré en nous, rien ne peut l'en arracher. Voilà pourquoi je doute en Dieu.

Et Sacha se dit que, s'il existe, Dieu doit être tellement intelligent, tellement spirituel même, qu'il ne doit pas être étonné de ce doute à son égard.

— C'est une incertitude raisonnée que Dieu a tout le loisir de transformer en certitude. La moindre apparition sera la bienvenue.

Cette apparition, pour l'heure, c'est Lana.

Est-ce pour se mettre en accord avec Dieu ? Il l'épouse en même temps que la religion orthodoxe

— celle de Lana — le 25 novembre 1949 sous le prétexte subtil que, né soixante-quatre ans plus tôt à Saint-Pétersbourg, il y a été baptisé. Les archimandrites ou les popes ont les manches aussi larges que les bons prêtres.

Et quand elle se promènera — rarement — au bras de Sacha, qui a horreur de se montrer en public autant que de respirer un air qui ne soit pas celui d'un théâtre ou de son bureau, Lana pourra entendre parfois un passant murmurer à sa compagne, en les voyant tous deux :

— Tiens ! voilà ce salaud avec sa salope.

C'est cela aussi, les infamies.

Ce passant n'avait évidemment pas lu les attendus du non-lieu signés par le commissaire du gouvernement, en août 1947, à propos du salaud : « Son activité d'écrivain est, en définitive, à l'abri des critiques. ELLE POURRAIT ÊTRE PRESQUE UN MODÈLE pour certaines carrières qui ont continué. »

Ce commissaire du gouvernement n'avait peut-être pas oublié, lui, que Sacha avait écrit en juillet 1941 à propos de la révolution nationale prônée par l'État français :

— Une révolution, pour ces gens-là, cela consiste à usurper des places, à ternir des réputations, à brûler des images.

Tant il est vrai qu'une certaine France de la collaboration avait soudain mauvaise conscience et que, pour s'en libérer, il lui était nécessaire de trouver des symboles, responsables et porteurs de cette culpabilité.

Sacha, vous étiez dans l'univers du spectacle — vedette et jouet de la rumeur publique — la personne idéale qu'on pouvait désigner à la colère du temps.

« Des sortilèges de la célébrité... »

*Cet homme qui, depuis deux ans,
disait du mal de moi est mort hier au
soir. Je n'en demandais pas tant ! Et,
d'autre part, je veux espérer qu'ils ne
vont pas tous chercher à s'en tirer de
cette façon-là !*

« On n'oublie pas qu'on a été en prison. Et les
autres n'oublient pas que vous y êtes allé. S'ils
l'oubliaient, d'ailleurs, vous leur en parleriez. Et si
vous l'oubliiez, ils vous en feraient souvenir », avez-
vous écrit.

Sacha, si du haut de votre Olympe il vous arrive de
lire ce livre — pourquoi pas, après tout ? —, il y aura
cinquante-quatre ans, an pour an, presque jour pour
jour, que nous nous sommes rencontrés pour la première fois en mars 1948. Ne devrais-je pas vous
appeler « Maître » en souvenir de ce jour-là ? J'étais
tellement intimidé. Comme vous d'ailleurs qui pré-

tendiez — et c'est vrai, nous l'éprouvons tous, ou presque — ne pas être timide devant « le public », mais l'être terriblement « en public ».

— J'ai horreur d'être vu, alors que j'ai passé mon temps à me montrer.

Je vous dois un aveu : lors de cette première rencontre, j'ignorais les humiliations et les maux que vous aviez subis. Votre visage n'en gardait nulle trace et je ne les ai rappelés que pour être sûr de m'en souvenir. Étiez-vous déjà Talleyrand ? Vous présentiez ce masque d'impassibilité sereine qui en a agacé plus d'un comme il en a enchanté tant d'autres. Pourtant, je le crois maintenant, ces années-là ont sans aucun doute hâté votre sortie définitive, neuf ans plus tard. Mais le jeune homme que j'étais alors n'avait pas été atteint par les « rumeurs ». J'étais dans le cocon Comédie-Française. Vous veniez de m'appeler au téléphone. Je n'avais qu'une pensée : « Je vais voir Guitry ! Je vais voir Guitry ! » Alors, permettez-moi de continuer à vous appeler Sacha.

Quand je suis arrivé aux studios des Buttes-Chaumont, où la télévision s'installera bientôt, vous aviez commencé le tournage du *Diable boiteux*. Un assistant m'amène jusqu'au plateau où l'on prépare un plan. A peine y suis-je entré que j'entends une voix mélodieuse — la vôtre — rendue plus grave par le temps et les cigarettes (surtout les cigarettes !) s'écrier :

— Ah ! Oui... c'est ça... C'est tout à fait ça...

S'agit-il de moi ? Maintenant encore, je le crois. Vous avez arrêté le travail.

— Venez jusqu'à moi...

Je traverse le plateau pour venir jusqu'à vous. La distance qui nous sépare me rend le souffle court, tant j'ai la « trouille ».

— J'ai lu que vous étiez un remarquable Figaro...

— Euh...

— Alors voilà...

Et pendant un quart d'heure vous m'expliquez, plan par plan, mon rôle dans votre film : vos intentions, le souci que vous avez de recréer à Valençay, chez Talleyrand, l'ambiance de cette première représentation du *Barbier de Séville*, etc.

Conquis par votre royale simplicité, je ne doute pas qu'à cette minute ma carrière cinématographique ne commence. N'avez-vous pas récemment aidé le jeune historien Alain Decaux à publier son premier livre *Louis XVII* ? Même si depuis, ayant vieilli, Alain Decaux a reconnu que Naundorff — erreur de jeunesse — n'est pas le descendant de Louis XVI ! Vous l'avez aidé : il a démarré sous le signe de Sacha. Je suis devant vous. Vous avez besoin de moi : je m'envole ! Telle Perette, son pot au lait et ses espérances ! Hélas, très vite il va me falloir admettre que Figaro n'est pas votre souci essentiel. Et ce que j'aurai à faire à Valençay sera si

294

modeste qu'une grande partie de cet exploit sera coupé au montage !

Votre souci, c'est Basile. Je le comprends mieux maintenant. Basile et sa tirade de la Calomnie : « *J'ai vu les plus honnêtes gens prêts d'en être accablés.* » Vous me faites même l'honneur de me demander qui en est l'interprète au Français.

— Denis d'Inès.

— Ah ! d'Inès !

Pour vous, comme pour moi, ce nom d'Inès correspond à celui du sociétaire doyen de la Comédie-Française. Pour un de vos assistants, appelant Basile à tourner sa scène dans les couloirs du studio, ce nom évoquera tout autre chose.

— Monsieur Guiness ! Monsieur Guiness ! On vous demande sur le plateau !

Confond-il avec la bière anglaise ou avec l'acteur Alec du même nom ? Je l'ignore encore. Mais pour protéger mon doyen — que j'aime bien — des rigueurs de l'anonymat, je rectifie. Le jeune assistant s'en émeut d'un « ah » très vague, et je vois dans son regard la distance qui sépare *ma* Comédie-Française de la famille cinématographique. Je n'ai malheureusement pas retenu cette leçon. J'ai eu tort ! Mais cette conversation d'un quart d'heure avec vous, comme les deux jours de tournage que j'ai passés — si j'ose dire — « auprès de vous », m'ont apporté l'illusion du bonheur. Vous venez de me raconter mon rôle avec une telle chaleur, un appétit si visible, presque une urgence, que je m'entends vous dire :

— Maître... mais... je n'ai pas le costume...

Cette réflexion est tellement inattendue qu'un instant interloqué vous me jaugez alors, Figaro idiot, avec curiosité. Et d'un ton aussi mesuré qu'amusé, l'œil imperceptiblement ironique — tel que je vous imagine aujourd'hui devant les gardes-chiourme du Dépôt, de Drancy ou de Fresnes —, vous me rassurez d'un :

— Mais... nous tournons cela dans trois semaines...

Et c'est infiniment gentil de comprendre à cette minute-là à quel point vous m'intimidez.

Ainsi donc, vous avez consacré plus d'un quart d'heure — alors que le temps coûte si cher au cinéma — pour m'expliquer ce que vous ne manquerez pas de m'expliquer encore vingt jours plus tard ! Laissez-moi vous dire, Sacha, maintenant que je suis plus assuré devant vous — puisque je vous appelle Sacha —, qu'un demi-siècle plus tard je n'en reviens toujours pas. Même si mon rôle au montage n'est pas, etc., je suis déjà victime de votre charme. Votre courtoisie si unanimement reconnue et les années de succès qui vous précèdent au cinéma vous autorisent cette parenthèse pour me donner ainsi le sentiment d'exister. D'autant qu'il fait froid dans le studio et que vous êtes enfoui, casquette sur la tête, dans un plaid qui vous réchauffe si mal que vous vous en êtes déjà ouvert à votre premier assistant, François Gir, le fils de la délicieuse actrice Jeanne Fusier-Gir, une de vos interprètes préférées.

— François ! Cela fait dix fois que je supplie qu'on prenne soin de fermer les portes du studio. Il vient un courant d'air horrible qui me glace les os. Voulez-vous avoir l'obligeance d'y veiller, je vous prie. Et de transmettre à qui de droit...

Sacha, ce langage vous est naturel, vous le savez. Il ravit les uns et horripile les autres, reconnaissez-le. Assez peu employé sur les plateaux de cinéma, il est pourtant accepté de bonne grâce par chacun. Il y a des exceptions cependant. François Gir s'empresse donc de transmettre votre souci à « qui de droit ». Et tandis qu'il revient vers vous, mission accomplie, on entend la voix de « qui de droit » susurrer derrière le décor :

— Alors les connards ! Vous pourriez p't'être boucler la lourde ! Le maître se les gèle ! Combien de fois faudra vous le répéter..

Vous vous penchez alors vers François Gir et vous laissez tomber :

— Il ne dit pas bien mon texte...

*

Sacha, je vous ai affirmé en préambule que je vous aimais. Cette première rencontre en est la première cause. Il en existe bien d'autres. D'abord, je crois que vous aimiez bien les acteurs. Même s'il vous est arrivé, comme à nous tous, de tempêter contre eux et de vous en plaindre en les distribuant : « Il n'y a plus d'acteurs ! » Quel metteur en scène ou directeur ne l'a pas pensé un jour ? Nous sommes de si « étranges animaux ». Mais vous-même en étant un vous nous avez aimés, c'est sûr. Et les acteurs ont été parmi ceux — rares — qui vous l'ont bien rendu, pendant les années noires. De Pauline Carton vous écrivant à Fresnes : « *Mon cher patron, je ne sais pas où vous êtes. Mais je donnerais cher pour y être avec vous !* » à Gilbert Gil, jeune premier romantique passionné, au regard noir et farouche, authentique FFI, lui, se glissant au Dépôt pour vous apporter le réconfort d'une parole d'espoir : « *On pense à vous.* » Bien d'autres encore, Maurice Teynac, votre imitateur, José Noguero, et même Geneviève, votre épouse qui est partie naguère en claquant les portes de l'hôtel du Champ-de-Mars en ayant l'air, rappelons-le, de « gifler la maison ! » et qui, revenue vers vous, se montre alors à la hauteur de son nom, du vôtre, et du sort injuste qui vous frappe. Elle repartira tout de même un peu plus tard, mais...

C'est Jean-Louis Barrault qui raconte aussi un souvenir de ce temps-là : un soir de beuverie avec des copains, à Saint-Germain-des-Prés. L'un d'eux vous téléphone. Il est 3 heures du matin.

— Monsieur Guitry, vous êtes un con !

A quoi vous répondez d'une voix très douce :

— Eh bien, non. Ne croyez pas cela. Je me suis souvent posé la question... et vraiment, j'aimerais que nous nous rencontrions un jour pour que vous puissiez mieux en juger...

C'est Robert Lamoureux, affolé d'être en retard et longuement attendu sur le tournage de *Si Paris m'était conté*. Devant vous, il ne trouve aucune excuse à vous donner. Mais vous, sachant son activité de nuit au cabaret vous lui ouvrez les bras. Assis dans votre petite voiture d'infirme, car vous êtes déjà gravement handicapé, vous l'embrassez pour le réconforter : « On vous aime bien, Robert. » A plus de quatre-vingts ans, Robert Lamoureux en est encore attendri.

Ma seconde rencontre — là encore, j'ai des raisons de m'en souvenir —, c'est avec *Napoléon*. Plus exactement à cause de Napoléon. J'ai rendez-vous avec vous, chez vous, avenue Élisée-Reclus. Est-ce parce qu'en ce temps-là je suis devenu sociétaire de la Comédie-Française ? Je ne le crois pas. Mais vous m'accueillez en haut des marches du fameux escalier autour duquel votre père a voulu que sa maison soit bâtie.

— Voulez-vous monter jusqu'à moi ?

Tu parles si je le veux !

— Nous allons dans mon bureau.

Je gravis les marches. J'entre dans ce bureau, à

299

l'ovale allongé (dix-huit mètres, paraît-il) et je vais — ô surprise — passer une heure avec vous. J'ignore à ce moment le mal irrémédiable dont vous souffrez. Vous n'en montrez jamais les méfaits. « Il est poli d'être gai. » Vous allez peu à peu me faire découvrir vos trésors. Les murs sont couverts de dizaines de tableaux : Van Gogh, Bonnard, Vlaminck, Monnet, Matisse, Renoir, Utrillo. Picasso : *La Colombe* de Picasso.

— J'avais dit à quelqu'un : je la veux à tout prix. Je l'ai eue à ce prix-là !

Vous me montrez le buste de Clemenceau que vous avez acheté au musée Rodin en 1940, l'encrier de Flaubert, la canne de Talleyrand, des lettres de Rousseau et, surtout, surtout, l'édition originale de *L'École des femmes* que vous possédez où Molière a corrigé de sa main le mot « amour » pour le remplacer par le mot « esprit » !

— Si parfois on me trouve orgueilleux, voyez-vous, qu'on n'en cherche pas ailleurs la raison !

Vous me montrez aussi le chapeau de Napoléon car c'est le film pour lequel vous m'avez convoqué. Et pendant de longues minutes vous allez me convaincre d'y jouer le rôle du général Junot. Je dis bien me convaincre (comme s'il en était besoin) ! car « le rôle est petit », me précisez-vous d'un air navré. Mais, argument suprême :

— Gabin n'a qu'un mot à dire !

Il est bien certain que si Gabin n'a qu'un mot à

dire... je peux à l'évidence jouer le petit rôle de Junot. Mais ce mot unique que Gabin doit prononcer, c'est à Napoléon lui-même qu'il le dit. Il joue Lannes, blessé à mort sur le champ de bataille d'Eylau, et, obligeant l'Empereur à se pencher vers lui, il lui crie à l'oreille en désignant les cadavres qui jonchent le sol :

— Assez !

Vous me dites cela avec fierté. Car c'est une très belle idée que vous m'exposez là. Avec un mot pareil et un gros plan pour soutien — sans être Gabin —, on se fait déjà une bonne réputation. Moi, je vais me balader pendant tout le film, de plans éloignés en plans généraux, et mes répliques, bien que plus nombreuses, seront infiniment moins ressenties que le « Assez ! » de Gabin. Qu'importe ! Vous êtes si convaincant qu'en sortant de chez vous je pense que si la Comédie-Française me refuse mon congé... le film ne se fera pas ! Par bonheur, le congé m'est accordé, et le film se déroule en grande partie sur la Côte d'Azur pour les extérieurs du siège de Toulon... qu'on tourne à Antibes ! Je vais être, pendant une semaine, le plus heureux des hommes. Je vous apercevrai, en panama superbe, chemise hippie à larges fleurs, collier d'ambre protecteur autour du cou (offert par Lana), assis dans une bergère Régence, porté sur les épaules de quatre pioupious du contingent à l'aide de deux longs madriers attachés aux pieds du fauteuil. Ils vous hissent ainsi jusqu'au Fort Carré pour diriger la bataille. Et tout en montant vers le fort, au long des rues d'Antibes — personne n'imagine à quel point vous souffrez —, vous saluez royalement la foule qui vous acclame « Vive Monsieur Guitry ! » comme elle saluerait Louis XV ou XIV, ou bien encore le pape sur sa *sedia gestatoria*.

Elle non plus ne se rappelle plus les « rumeurs ».

J'ai tout de même une scène très importante à jouer dans *Napoléon*. Il faut bien en parler. Alors qu'il n'est encore que Bonaparte, à cet instant du film, Napo est emprisonné à Toulon ! Junot doit lui faire comprendre qu'on s'occupe de sa délivrance et de son évasion. Je dois donc arriver en courant, me coller au mur du cachot où se trouve Bonaparte derrière les barreaux, et lancer cette réplique, assez bienvenue je dois le dire : « Hou, hou ! » Le plan est soigneusement éclairé. On répète. Je m'élance vers le mur.

— Hou ! Hou !

— Non, mon petit... c'est trop bref, me dites-vous. Vous voulez bien recommencer...

On recommence.

— Hou... hou... !

— Non. Je souhaiterais que vous allongiez le son de votre « hou hou », plus large... « Houououououou, Houououououou... » Vous voyez ?

A vrai dire je ne vois pas grand-chose. Pour moi « Hou hou, c'est hou hou ». Junot court le risque d'être surpris sous le cachot de Bonap... il a donc intérêt à sortir son « hou hou ! » le plus rapidement possible. Tel n'est pas, Sacha, votre vision de cette scène. Ce n'est pas la musique que vous souhaitez entendre.

On recommence...

— Houou, houou.

— C'est mieux. Mais... écoutez-moi.

Vous me faites alors un autre « houououououou » tel que vous l'entendez.

On recommence.

Moteur ! Ça tourne !

Après trois ou quatre essais ratés et de nombreuses prises supplémentaires, « c'est parfait », me dites-vous. Effectivement, vous avez l'air satisfait. Je respire.

Six semaines plus tard, on synchronise dans un studio parisien les scènes d'extérieur dont les sons n'étaient que « témoins », donc imparfaits. Je suis dans le studio avec Gabin. Il refait son « ASSEZ ! » avec une vigueur saisissante, tout en m'affirmant à plusieurs reprises — car le calembour l'amuse :

— J'ai fait Lannes pour avoir du son !

Son cachet unique en effet doit représenter mon année d'appointements de sociétaire Comédie-Française. Mais qu'importe ! Je suis à côté de Gabin, mon modèle. Et je vous ai rencontré pour la deuxième fois. Non ! Pour la troisième ! Car soudain — ô surprise — je n'ai pas à refaire mon « Hou

hou » en synchro. C'est déjà fait ! Par vous ! Oui, vous avez, quelques jours auparavant, synchronisé vous-même ce « hou hou » pour être bien certain que votre intention sera respectée. J'ai donc été doublé par Sacha Guitry. Croyez-moi, Sacha, j'en reste très fier. Cependant je tiens à vous assurer que, depuis, j'ai fait quelques progrès et que je me sens beaucoup plus capable d'exécuter des « hou hou » aussi allongés que vous les souhaitiez alors. C'est une longue patience, parfois, le génie.

Je n'aurai malheureusement plus l'occasion de vous rencontrer. Pas libre pour *Si Paris m'était conté*, je n'y participe pas. Je reconnais de toute façon que ma prestigieuse interprétation de « hou hou » dans *Napoléon* ne vous avait sans doute pas laissé un souvenir suffisamment immortel pour que vous me rappeliez.

Et il ne vous restait que deux ans à vivre et deux films à faire.

Je resterai donc sur le souvenir de ce *Napoléon* où, lorsque nous tournions dans le parc de Sceaux ou celui de la Malmaison, nous faisions cercle autour de votre fauteuil, pour vous écouter parler.

— Le plan est prêt, maître.

— Oui, j'arrive, j'arrive, répondiez-vous à l'assistant.

Vous vous racontiez entre deux scènes et — l'esprit, toujours l'esprit — c'était ravissant. Vous ne cessiez de fumer. Vos doigts jaunis et assombris par la nicotine en étaient la preuve. Votre ami médecin, le « merveilleux » Dr Racine, s'interposait parfois.

— Sacha ! Il faut tout de même que je vous parle « cigarettes ».

— Ah non ! protestiez-vous alors de votre voix de violoncelle. Ne me demandez pas de fumer davantage, ce n'est pas possible.

Chacun des assistants, producteurs ou directeurs de production, maquilleurs ou habilleuses étaient aux petits soins car tous vous savaient très malade. Ce qu'aucun de nous ne pouvait percevoir tant vous assumiez vos maux avec élégance, légèreté et courage. Vous n'aviez pas le souci de délivrer un message — sinon celui du bonheur —, vous ne vous sentiez pas le besoin de sauver le monde ou la République, à chaque nouveau spectacle. Fidèle à ce que vous avez écrit : « *Les partisans les plus hideux, l'autocrate le plus abject ou le monarque le plus sot ne peuvent rien contre l'amour* » — si le Dieu du troisième millénaire voulait bien vous entendre, de là-haut, tout irait peut-être mieux dans le meilleur des mondes possibles —, vous nous rendiez heureux de vos souvenirs.

— J'ai dit un jour à Fernandel : « Est-il vrai que vous allez fêter vos vingt-cinq ans de mariage ? »

— Oui, Sacha, m'a-t-il répondu. Aujourd'hui même.

— Vingt-cinq ans, mon Dieu. Eh bien moi, cela fait quarante-trois ans !

Et comme Fernandel paraissait s'étonner de cette fidélité, je lui ai fait observer :

— Oui, je sais... je sais. MAIS C'EST LE MÊME HOMME !

Vous nous citiez le mot de Feydeau à qui l'on venait de servir un homard auquel il manquait une pince.

— Maître d'hôtel...

— Monsieur Feydeau ?

Désignant son assiette et le homard, Feydeau lui faisait alors observer :

— Je préférerais le vainqueur !

Vous nous racontiez aussi cette blague théâtrale qui nous faisait tous beaucoup rire. On présentait en tournée — une tournée miteuse — une pièce sur Napoléon. L'Empereur s'adressait au deuxième acte à la Grande Armée (trois ou quatre pauvres figurants) qui lui faisait face dans le désert d'Égypte. Le général Bertrand lui remettait alors un rouleau de papier sur lequel était écrite une proclamation enflammée que Napoléon lisait. (Il n'avait donc pas appris le texte !) Un certain jour l'acteur jouant Bertrand remet à l'Empereur un rouleau vierge ! L'acteur jouant Napoléon connaît alors cet instant de désarroi que nous connaissons tous dans ces cas-là ! Mais c'est un acteur « de très grand métier ». Après avoir constaté cette mauvaise plaisanterie, il dit à Bertrand :

— Il n'y a pas de plus grand honneur qu'un

empereur ne puisse faire à un général d'armée que de lui donner à lire la proclamation aux troupes !

Et il lui tend le rouleau vierge...

L'acteur Bertrand connaît à son tour cet instant de désarroi que nous connaissons tous dans ce cas-là. Mais c'est, lui aussi, un acteur « de très grand métier ». Dans un réflexe superbe, il salue au garde-à-vous son empereur et lui rétorque héroïquement :

— Mon empereur, soldat de fortune, sorti du rang... JE NE SAIS PAS LIRE !

Voilà. C'était cela le tournage des films de Sacha. Avec tout de même un détail supplémentaire : le TRAVAIL !

— Maître, le plan est prêt.

— J'arrive, j'arrive.

Il n'est pas de puissance humaine
— si malfaisante soit-elle — qui puisse
retarder l'éclosion d'une rose.

Sacha, vous le savez, rien ne reste du 18, avenue Élisée-Reclus.

Vos collections ont été dispersées. Un immeuble remplace l'hôtel détruit.

Vous en connaissez la cause.

On a beaucoup attribué ce désastre à Lana Marconi, votre veuve.

A partir d'un mot que vous n'avez peut-être pas prononcé en observant ses mains, longues et fines, aux doigts que d'aucuns ont vus courbés comme des serres de rapace.

« Ces mains fermeront mes yeux et ouvriront mes tiroirs. » Dès lors on s'est montré sévère avec elle. Or vos tiroirs n'étaient pas très pleins. L'hôtel du Champ-de-Mars se délabrait. Les dettes étaient criantes. On avait saisi, de votre vivant. On saisissait encore. Vous négligiez de payer vos impôts. Et « les impôts » n'aiment pas qu'on les néglige. Ils n'attendaient plus. Même si en mars 1953 vous aviez écrit au président de la République Vincent Auriol pour en retarder l'échéance. Lettre que vous n'avez d'ailleurs pas envoyée, conscient tout de même de l'inutilité du geste.

Beaucoup ont estimé que Lana a fait le vide autour de vous, qu'elle a trié vos amis. C'est possible. Il n'était pas facile pour elle d'arriver en cinquième position dans votre vie. D'autant que l'amour qui vous unissait vous séparait parfois.

Sacha, quelle était la chose qui vous intéressait le plus au monde ? Avouez-le : les femmes. Et vous expliquiez pourquoi : parce qu'elles sont un inépuisable sujet d'emmerdements donc une source infinie de comédies.

Eh bien... soyons clairs : à cette question Lana aurait pu faire la même réponse que vous !

Seuls ceux et celles qui ont vécu et partagé votre existence peuvent parler de vos défauts et des siens. Je m'en garderai donc. Je n'ai connu d'elle, silencieuse sur les tournages, que son allure altière et sa froideur apparente et distante.

On vous a dit prodigue et avare. Vous dépensiez votre argent sans compter, mais vous n'aimiez pas honorer les factures de vos prodigalités. Impôts, ou factures, les régler vous paraissait inconvenant, presque démodé. Et, s'il pleuvait :

— Vous n'allez pas me demander de signer un chèque par un temps pareil !

Charmant, séduisant, séducteur même, vous pouviez devenir sec et cassant. Capable de renvoyer une personne à votre service depuis longtemps — mais dont vous observiez les manques depuis un temps aussi long — en quelques mots.

— Il est 9 heures. Voulez-vous être assez aimable pour ne plus vous trouver dans cette maison à 10 heures ! Merci !

Aimable et disert, vous étiez capable de ne pas desserrer les dents au cours d'un repas si l'on vous posait des questions sottes ou déplacées.

— Vous vous maquillez toujours tout seul ?

Silence. Regard navré qu'aucun acteur ne peut s'empêcher d'avoir dans des dîners de ce genre. Parfois, Lana conte que cela allait beaucoup plus loin.

— Avez-vous vu des Allemands, cher maître ?

— Vous êtes juge d'instruction, madame ?

Et vous tournant vers le deuxième monsieur à droite :

— Qui est cette putain ?

Et le deuxième monsieur à droite de vous répondre :

— Ma femme.

Vous aviez vos rhumatismes pour excuse. Chacun sait — enfin... ceux qui en souffrent aussi — à quel

point cette affection stupide mais atroce peut provoquer d'impatience et de réactions d'une soudaineté aussi brutale que le coup de poignard reçu telle
une flamme chauffée à mille degrés qui s'échappe
d'un chalumeau oxhydrique.

Lana n'avait pas de rhumatismes mais elle a pour
défenseur — et c'est assez surprenant — Jeanne
Fusier-Gir. Elle vous a connu quand vous aviez
seize ans, Sacha ! Elle a vécu au long de votre vie sa
vie de femme et d'actrice. Elle parle de votre courage — incontestable —, de votre fidélité en amitié. Et surtout elle s'affirme heureuse que personne
n'ait pris votre place au Champ-de-Mars. « *Tout est
rasé. Plus rien n'existe. Je crois que c'est la Providence
qui a permis cela... »

Elle a sans doute raison. Le drame de la Libération n'a pas permis à l'État ou à la Ville de transformer, selon votre vœu, l'hôtel du Champ-de-Mars
en musée. Alors...

Le plus beau, le plus grand souvenir que l'on
garde de vous, ce sont vos pièces. Pas toutes. Mais
une bonne dizaine, en tout cas !

Combien d'actrices sont heureuses de les jouer.
Combien d'acteurs qui entrent dans vos personnages ont, avec leurs partenaires féminines, sauvé
bon nombre de théâtres parisiens d'un four cruel
ou inattendu.

On a été injuste avec vous, Sacha. Justice vous est
maintenant rendue.

On a peut-être été injuste aussi avec Lana.

Alain Decaux venait d'être élu à l'Académie. Il a reçu un jour une lettre d'elle : « *Que cette pierre soit sertie sur votre épée d'académicien... Ce sera sa façon à LUI d'endosser l'habit vert.* » La pierre sertie, c'était l'émeraude qui ornait votre chevalière, Sacha.

Plus tard, Alain Decaux a reçu de Lana un tout petit tableau dont il a ignoré longtemps le signataire. Pourtant, il avait lu attentivement votre œuvre. Mais on oublie parfois un détail. Lana savait combien vous étiez fou de peinture. Vous lui aviez écrit un petit quatrain.

> *Un Rouault tout petit, qui m'est venu de toi,*
> *Vaut beaucoup plus pour moi*
> *Étant du même maître*
> *Qu'un Rouault de deux mètres.*

C'est ce petit Rouault, qui venait de Lana et de Sacha, qu'avait reçu Alain Decaux.

Alors on a envie d'écrire à propos d'elle, ce que vous avez écrit, Sacha, à propos de vous, dans vos *Quatre Ans d'occupations.*

ADIEU LECTEURS !

NE VOUS POSEZ PLUS DE QUESTIONS À MON SUJET.

CAR CE QU'ON A TENTÉ DE ME FAIRE PAYER, CE SONT QUARANTE ANNÉES DE RÉUSSITE ET DE BONHEUR.

Sacha, il y a une raison supplémentaire que vous négligez : VOTRE INSOLENTE FRANCHISE.

Vous en avez payé l'usage.

Vous rappelez-vous Molière, et ce *Misanthrope* que répétait votre père dans l'hôtel du Champ-de-Mars ? Écoutez-le. Vous l'appeliez notre Dieu à tous, nous les comédiens. Sans jamais vous prendre pour lui, j'en suis bien certain. Vous le respectiez trop. Écoutez-le. C'est Philinte qui vous parle :

> *Il est bien des endroits où la pleine franchise*
> *Deviendrait ridicule et serait peu permise*
> *Et parfois, n'en déplaise à votre austère Honneur,*
> *Il est bon de cacher ce qu'on a dans le cœur.*

A ce conseil fraternel vous avez préféré le franc-parler d'Alceste.

Dieu ne vous en veut pas, Sacha. N'est-ce pas là l'essentiel. En voulez-vous une preuve ?

*

Savez-vous ce que l'on a pu voir, 18, avenue Élisée-Reclus, avant que l'hôtel ne soit livré aux pioches des démolisseurs ?

Le jardin était en friche, envahi par les broussailles. L'hôtel inhabité. Et juste devant cette fenêtre où vous avez tant travaillé, poussait un rosier sauvage.

313

Une seule rose, votre fleur préférée, y apparaissait.

Une rose rouge.

Comme un rideau de théâtre...

Ma reconnaissance va, après les avoir lus, à

Henri Jadoux, *Sacha Guitry*, Perrin, 1982.
Henri Gidel, *Les Deux Guitry*, Flammarion, 1998.
Jacques Lorcey, *Sacha Guitry*, PAC, 1985.
Dominique Desanti, *Sacha Guitry*, Grasset, 1982.
Patrick Buisson, *Sacha Guitry et les femmes*, Albin Michel, 1996.
A ... Alain Decaux qui conte si bien Sacha.
Et bien entendu à :
... Sacha Guitry !
A son théâtre et à ses livres.

Cet ouvrage a été composé par
Graphic Hainaut (59163 Condé-sur-l'Escaut)

Cet ouvrage a été imprimé par la
SOCIÉTÉ NOUVELLE FIRMIN-DIDOT
Mesnil-sur-l'Estrée
pour le compte des Éditions Plon
en mai 2002

Imprimé en France
Dépôt légal : février 2002
N° d'édition : 13456 - N° d'impression : 59685